Mátalo

David Martín del Campo

Mátalo

MÁTALO
D. R. © David Martín del Campo, 2006

ALFAGUARA^MR

De esta edición:
D. R. © Santillana Ediciones Generales, S.A. de C.V., 2006
Av. Universidad 767, Col. del Valle
México, 03100, D.F. Teléfono 54207530
www.alfaguara.com.mx

- Distribuidora y Editora Aguilar, Altea,Taurus, Alfaguara, S.A.
  Calle 80 No. 10-23. Santafé de Bogotá, Colombia
  Tel: 6 35 12 00
- Santillana S.A.
  Torrelaguna, 60-28043. Madrid
- Santillana S.A., Avda. San Felipe 731. Lima.
- Editorial Santillana S.A.
  Av. Rómulo Gallegos, Edif. Zulia 1er. piso
  Boleita Nte. Caracas 1071. Venezuela.
- Editorial Santillana Inc.
  P.O. Box 5462 Hato Rey, Puerto Rico, 00919.
- Santillana Publishing Company Inc.
  2043 N. W. 86 th Avenue Miami, Fl., 33172 USA.
- Ediciones Santillana S.A. (ROU)
  Javier de Viana 2350, Montevideo 11200, Uruguay.
- Aguilar, Altea, Taurus, Alfaguara, S.A.
  Beazley 3860, 1437. Buenos Aires.
- Aguilar Chilena de Ediciones Ltda.
  Dr. Aníbal Ariztía 1444.
  Providencia, Santiago de Chile. Tel. 600 731 10 03
- Santillana de Costa Rica, S.A.
  Apdo. Postal 878-150, San José 1671-2050, Costa Rica.

Primera edición: Noviembre de 2006

ISBN: 970-770-643-0

D. R. © Diseño de cubierta: Everardo Monteagudo

Impreso en México

Índice

El tesoro de Bagdad 9
Intemperie 45
Antes de Noé 81

EL TESORO DE BAGDAD

Sopla la brisa del Golfo. Es un alivio para el calor de la tarde, cuando la transpiración no abandona la piel ni por un momento. Mauricio mira dentro de la lata y un asomo de náusea aflora en su garganta. Eso que sostiene en la mano es el obsequio que les hicieron en el mercado, aunque iban dispuestos a pagar 20 centavos, como las otras veces, por las tripas de pollo.

Dejaron las bicicletas atrás, en los médanos donde finaliza la carretera parchada por sorpresivos espejos de agua; el chubasco duró tres minutos, se fue con el viento y dejó un vahído esfumándose entre las volutas de vapor. El camino, invadido por la arena, concluye ante una placa que es otro espejismo: BAGDAD. El caserío, mitad balneario y mitad villa de pescadores, fue barrido por el huracán de 1899. De aquello perdura solamente una historia divertida: cuentan que un par de cayucos fueron a caer en Harlingen, al otro lado del río. Sólo quedó la leyenda y los paisanos todavía ríen al imaginar a esos dos colectores de ostión que despertaron borrachos en mitad del chaparral tejano. La inscripción permanece ahí como ofrenda de la tragedia; "el 99", que le llaman. No hubo sobreviviente alguno, y si lo hubo huyó muy pronto para poder contarlo. Que había un rancho de cocoteros, que un muelle largo y una docena de cayucos. Nada quedó. Y muy poco, también, en Galveston al norte.

Ahora Puerto Bagdad es una placa de bronce homenajeando a esa comunidad perdida en mitad de la borrasca. Algunos intentan reinventar su traza, adivinar una arquitectura de travesaños y dinteles porque de vez en cuando los paseantes en la desembocadura del río Bravo hallan algún vestigio que se convierte en trofeo. Una cadena de siete eslabones, una botella verde, una cafetera carcomida por el salitre. Son los tesoros de Bagdad.

—Hoy lo intentaremos más abajo.

—Tú mandas, primo —responde Mauricio prometiéndose no mirar más, en lo posible, las vísceras.

Jamás imaginó que los despojos de un pollo pudieran servir para eso. Por fin llegan a la orilla del estuario, un sitio que no es río ni mar ni playa, y proceden a repetir la faena de la víspera. En el extremo del cordel sujetan un trozo de tripa y auxiliados por una tuerca a modo de plomada lanzan el sedal hacia los remansos de la ciénaga. No usan anzuelos, ni red, ni fisgas. Así esperan, con el agua en las rodillas, hasta que la línea comienza a tironear.

—Mientras no lleguen, como ayer —dice Mauricio al rascarse con la mano libre el antebrazo.

—No mientras sople la brisa —comenta su primo ladeándose el sombrero para enfrentar la rabia del sol—. Además esta vez traje cigarros; el humo es el mejor repelente contra los zancudos.

Mauricio parece no escucharlo. Permanece abstraído ante una bandada de pelícanos que se desliza a ras del agua. Son cuatro y su vuelo majestuoso le arranca un suspiro. En la ciudad no hay pájaros admirables como esos. Es la primera vez que el muchacho visita el mar, aunque imaginaba algo diferente y no esa playa cenagosa barrida por los arrebatos de la brisa. De cualquier manera está contento.

—Oye Richi, ¿cuántos "chacales" fueron los de ayer? —pregunta al observar la bandada que vira hacia oriente y se aleja con esporádicos aleteos. "Catorce", sabe que responderá su primo.

—¿No te acuerdas? —contesta Richi, aunque odia el sobrenombre—. Catorce, y ni los quisiste probar.

—No tenía hambre —miente—, hoy sí me comeré una docena de langostinos —exagera.

El muchacho mayor sonríe satisfecho:

—A ver, a ver... —comenta al tirar lentamente del cordel—, parece que ya cayó el primer bandido.

De la captura de la víspera Ricardo atrapó la mayor parte. Su primo, horrorizado por el aspecto de los crustáceos, los dejaba escapar mientras se balanceaban ante sus ojos. Ricardo se exasperaba: no que su primo no le simpatizara, ni que esas expediciones dejaran de ofrecer nuevas sorpresas, pero el hecho era que la visita de Mauricio, del todo imprevista, le había echado a perder las vacaciones.

"Vendrá tu primo, el de la ciudad, me acaba de avisar tu tía Minerva en un telegrama. Que estará aquí varias semanas mientras ellos arreglan sus... problemas. Quiero que seas amable con él, Richi. Le pondremos el catre en tu pieza", había anunciado su madre y ahora el asustadizo muchacho tiraba, con pulso nervioso, del cordel.

—Creo que viene un chacal —dijo. "O dos", pensó por la resistencia del avío.

—No lo vayas a columpiar una hora hasta que escape —le advirtió Ricardo—. Apenas veas que está fuera del agua, échalo rápido al bote.

Mauricio no repuso nada. Iba a repetir aquello de "tu mandas, primo", pero le pareció demasiado infantil. Ricardo había prometido que esa noche, si no los llevaban al cine, le mostraría en secreto una revista prohibida. La película que pasaban en la Sala Lemus era *Tarzán en las minas del Rey Salomón*.

Siguió tirando del sedal mientras observaba cómo su primo alzaba ese crustáceo marrón atenazado a la tripa de pollo. Lo llevaba hasta la embocadura de la segunda lata donde el langostino, sacudido levemente, terminaba por soltarse. Mauricio jaló su cordel con cierta lasitud. "Escápate, escápate", le suplicaba mentalmente al sentir aquel tironeo aproximándose por el fondo del estero. Más tarde, al fuego, los "chacales" perdían ese aspecto fangoso y en cosa de segundos adquirían una tonalidad anaranjada, aunque saltaban de pronto en la sartén, untados con mantequilla, como si protestando con súbitos chirridos de vapor.

Su tío laboraba como agente aduanal y era el que más celebraba ese "manjar de reyes", como él lo llamaba, sorbiendo ruidosamente los caparazones. "Y tú, Mauricio, ¿no vas a probar?", invitaba tras degollar al bicho.

—No tengo mucha hambre; mejor un vaso de leche. —Y el tío, con los bigotes pringosos, devoraba dos raciones.

Alzó el extremo del cordel y la sorpresa fue doble. "¡Jaiba!", anunció su primo al reconocerla en la distancia, porque era cierto: el cangrejo era de buen tamaño y ésa era la causa de la tenaz resistencia bajo el agua. Richi sostuvo la plomada y acercó el bote al crustáceo, pero rebotó en el envase. Al caer al agua, que les llegaba a los tobillos, el bicho emprendió la huida a pesar de que Richi trató de impedírselo. No lo hubiera hecho:

—¡Ahh, jija de su madre! —exclamó pues una mordida de aquella pinza le rebanó medio pulgar, que ya comenzaba a sangrar escandalosamente.

—¡Pendejo! —lo regañó su primo—, ¿por qué la dejaste escapar?

Mauricio no supo qué responder. El problema era que todo había resultado demasiado vertiginoso; la jaiba, las tripas de pollo, su encuentro con el mar, el viaje en autobús, las lágrimas de su madre en aquella discusión nocturna; esas dos noches en que no regresó papá.

Recuperó su cordel y buscó el botecito donde guardaban la carnada. Ató el cebo en silencio y le imprimió varios giros de honda hasta proyectarlo lejos, donde el río no les sostendría los pies.

—¿Te duele mucho?

—No —se jactó Ricardo, que era cuatro años mayor—. La maldita morderá la línea otra vez y volveré a atraparla. La partiré en dos con mi navaja —porque eso era lo que llevaban en la mochila: una navaja herrumbrosa, una cantimplora con agua de limón, y dos hules por si los sorprendía la lluvia. Siguió chupándose la herida antes de permitir que restañara al sol.

No habían hecho otra cosa en la semana: matar langostinos en el estuario de Bagdad, matar mosquitos a punto del sueño, matar la sed y matar el tiempo mientras paseaban en bicicleta levantando polvo por las calles del poblado. Matar.

Era la segunda ocasión que se veían, de hecho, en sus vidas. La vez anterior había sido en una fiesta familiar (ambos conservaban las fotos del pastel de siete velas), pero ya no recordaban a qué habían jugado.

Mauricio había despertado antes del alba. Permaneció revolviéndose entre las sábanas hasta que se hartó de su aspereza. Abandonó el catre y fue a orinar en la penumbra. Intentó reconocer los murmullos de la hora, ¿cómo se llamaban aquellos insectos chirriando en el rastrojal que se extendía más allá del patio? Se refrescó la cara en el lavabo y supo que jamás tendría ésa ni muchas otras respuestas. Se acomodó en la mesa de la cocina y extendió una hoja que había hurtado en el despacho de su tío. El papel estaba membretado con las señas de la agencia aduanal. "Importaciones R. Medina". No veía a su madre desde el sábado pasado y ahora le escribiría una carta. Había mucho que contarle, mucho que decirle de su gran cariño y la nostalgia que sentía por el olor de sus manos. Anotó la fecha y después inició con una frase que le pareció cierta, extraordinaria, insuperable: "Mamá; está amaneciendo". Después, nada.

Nada hasta que lo sorprendieron las primeras luces de la mañana y su tía que llegaba a moler café. El niño cabeceaba sobre la hoja de papel y la mujer pareció vislumbrar una lágrima furtiva, pero no quiso indagar. "Mauricio, ¿me ayudas a partir las naranjas?"

Menos mal que esta vez no olvidó su cachucha. Era de los *Dodgers*, un recuerdo de su padre en los constantes viajes de negocios que emprendía, aunque estaba ya un tanto deslavada. La canícula apretaba y era necesario, de rato en rato, refrescarse la nuca con el pañuelo empapado. Además que la corriente de agua, imperceptible apenas, les templaba los pies.

Mauricio alzó la vista y reconoció, no lejos de ahí, a los cuatro pelícanos deslizándose en el aire. Venían de retorno, seguramente, porque siempre estamos de retorno... pensó el niño al imaginarse abrazando a su madre, ese delantal percudido que olía a perejil y sí, ¡eso le contaría en la carta apenas iniciada y que guardaba en el bolsillo! "Mamá; está amaneciendo. Los pelícanos van y vienen por encima del agua, como pájaros de misterio". No; habría que ser más precisos: escribirle "mar" en vez de "agua". Entonces sintió el primer tirón en la línea.

En ocasiones los bagres tragaban el cebo y era un jugueteo asqueroso, eso de tirar del señuelo, que no tenía anzuelo, y arrebatarles del buche el trozo de tripa. Así llegaban, pululando en trance predatorio, hasta los pies mismos de los muchachos, donde el cardumen por fin se dispersaba. Mauricio jaló el cordel y sintió que se tensaba, atorado posiblemente en una roca sumergida. Volteó a mirar a su primo, pero en ese momento Richi recuperaba su línea, palmo a palmo, hasta extraer un par de langostinos prendidos al extremo del sedal. Los crustáceos parecían no percatarse del engaño, entregados al regocijo providencial, hasta que uno y otro soltaron por fin sus pequeñas tenazas. Cayeron dentro del recipiente de lata donde iniciaron un zafarrancho de coletazos apenas comprobar que eso no era, ni remotamente, el lecho fangoso del estero.

—Oye, primo... ya se me atoró.

Ricardo no oyó, o hizo como que no oyó. Miraba con gesto satisfecho a los bichos acomodándose en la sombra del bote.

—Richi, que ya se me atoró el sedal; te digo.

El mayor llevó el recipiente hasta donde descansaba la otra lata, la de las tripas de pollo, y desde ahí preguntó con cierto fastidio:

—¿Se atoró o lo atoraste?

"Cuál es la diferencia", se preguntó Mauricio y para demostrarlo tiró de la línea hasta tensarla igual que una cuerda de guitarra.

—¡Déjala, déjala, la vas a reventar igual que ayer! —lo regañó su primo, que ya lo alcanzaba con semblante molesto—. Sólo a ti te ocurren estos accidentes.

—Es la mala suerte —se defendió Mauricio. "Mamá; está amaneciendo. Los pelícanos van y vienen por encima del mar, como pájaros de misterio", sí, pero qué más—. Oye primo, ¿dónde queda la oficina de correos?

—Qué, ¿vas a pedir dinero para los gastos que ocasionas? —soltó Richi, y arrepentido ya trató de enmendarse: —¿Extrañas mucho a tu hermana? ¿Quieres mandarle una carta? Yo te llevo mañana, está a la vuelta del mercado.

Mauricio aflojó la línea. Lo más seguro, como el día anterior, sería que la cortaran con la navaja oxidada y se perdieran aquellos metros de valioso sedal que, como decía el carrete, era "MADE IN JAPAN". ¿Qué necesidad había, después de todo, de atrapar a esos pobres crustáceos hurgando inmundicias en el fondo del estero? "Acompáñame, primo; ya verás. Es muy divertido".

—Lo que pasa es que... —¿se lo diría?—. Lo que pasa es que todavía no escribo la carta. A lo mejor esta noche.

El primo Ricardo pulsó la línea y le dio un par de tirones, pero el cordel seguía anclado en un punto no lejos de ahí. Esbozó una mueca reflexiva, como aquilatando el riesgo y la necesidad. Luego soltó con la sonrisa:

—Debe estar amarrada a un palo de sabino —adelantó—. Cuando las tormentas revientan río arriba, la creciente los arranca allá, en Valadeces y en Reynosa.

—Yo qué iba a saber.

Sopesando la tensión entre el pulgar y el índice, el primo Ricardo lo decidió en ese momento:

—Qué pues, voy por ella y me regreso. Sirve que así no perdemos la línea y seguimos dándoles carrilla a los infelices.

En cosa de minutos el primo Richi se desprendió de la ropa. Acomodó el bulto en la duna donde resguardaban los zapatos y guiado por el cordel fue adentrándose en la albufera. Habían pedaleado más de una hora por la carretera salpicada de espejos de agua, recordando que en casa los esperaban a merendar con el crepúsculo. Ellos, machacado con huevo, y el tío, si todo salía bien, una docena de langostinos asados con ajo y salsa inglesa. La película de Tarzán era proyectada en dos funciones y bien podrían ir a la tanda de las ocho.

—¿No está muy hondo? —preguntó Mauricio al observar que el agua ocultaba el ombligo de su primo.

—No mucho... aunque dicen que lo más profundo tiene como diez metros. Así que si me ahogo —bromeó salpicando con la mano libre—, te dejo el bat y mi colección de viejas encueradas.

Mauricio recordó que su padre tenía varias de esas revistas y, según había medio escuchado en la última discusión, el problema era una mujer, otra mujer, "esa mujer" cuyo retrato viajaba inexplicablemente en su cartera y había resbalado al pagar la cuenta en la nevería.

—Ten cuidado —le dijo, pero un golpe de brisa pareció llevarse sus palabras.

Ahora el agua le llegaba a los hombros. Mauricio no sabía nadar, y ésa era su vergüenza. En la ciudad no había demasiados balnearios, y en casa ni demasiadas vacaciones ni demasiado dinero para esos lujos. Si acaso un par de patines rotos y una bicicleta demasiado pequeña que ahora usaba su hermana. Y lo más triste, que no había visto un velero, uno solo, como los de las enciclopedias. ¿Eso era el mar?

—¡Ya mero! —le gritó Richi en medio del caudal—. ¡Es aquí abajo! —insistía al empuñar el sedal en la mano izquierda.

Ojalá y ya hubieran cambiado la programación del cine Lemus. Esa mañana, rumbo al mercado, habían descubierto los carteles anunciando el estreno de *Moby Dick*. Había que matar a esa ballena monstruosa y no a los pobres negritos esclavizados por el hombre blanco y sus ansias de diamantes, *bwana, bwana*...

El grito llegó con el viento. Qué.

Su primo manoteaba en la distancia, resbalaba, se hundía en la corriente. "Se está ahogando", pensó Mauricio. "No lo podré salvar."

Era lo que había estado a punto de confesarle. Que no sabía nadar y que quería aprender, pero Richi ya no estaba a la vista. ¿Cómo se lo explicaría a su tío Ricardo, a su tía Evangelina? "Se ahogó y no pude sacarlo." Ahí no estaba más que el Bravo, su caudal sinuoso arrastrando remolinos y reflejos verdes. Ese olor a marisma caliente. Grande, "río Grande", le llaman del otro lado.

Un pataleo en la distancia. Como que Richi no podía sacar la cabeza. ¡Un cocodrilo!, adivinó. "¡Se lo está llevando el cocodrilo!"

Eso había contado su tío en la merienda; que el domingo anterior un agente aduanal, de apellido Retama, avistó un enorme caimán en Isla Larga. Y luego la historia aquélla del elefante perdido entre los breñales.

—¡Una hebilla!

Ahí estaba, de nueva cuenta, su primo Ricardo. No se había ahogado y ahora asomaba con ese extraño grito que ya repetía.

Regresó demudado, pálido, con la mirada perdida. Tenía la piel erizada a pesar del calor abrasante. "Se salvó de milagro", pensó Mauricio, "ahora me recriminará por no intentar auxiliarlo".

—¿Te atacó el cocodrilo?

En vez de responder el primo Richi se tumbó en la playa. Le temblaban la quijada, los dedos de las manos, los muslos húmedos bajo el sol. Permanecía con la vista perdida en las ondas rutilantes del caudal, absorto en ese remoto anuncio al otro lado del estuario donde un tigre sonriente recomendaba la marca ESSO. Entonces se mordió el dorso de la mano, un gesto absurdo a todas luces. Se irguió sobre la arena y volvió a repetir:

—Una hebilla. La línea se atoró en una hebilla...

—¿Una hebilla?

—¡Entiende, Mauricio! ¡Hay un ahogado en el río!

—Un qué —el muchacho pensó en su habitación, su cama, sus banderines del club Sultanes, su pequeño escritorio donde había pegado las "tablas" difíciles, la del 8 y la del 9, su padre discutiendo toda la madrugada mientras su madre trataba de no llorar, no gritar, no llamarlo "bestia sexual". ¿Qué era eso? "Ocho por siete, cincuentayséis; ocho por ocho, sesentaycuatro; ocho por nueve..."

—Un muerto, imbécil. ¿No oyes? Ahí adentro está un pinche muerto.

Eso era.

—¿Un ahogado?

El primo Ricardo ya no respondió. Volteó el tórax hasta alcanzar su camisa, que empleó para secarse la cabellera. Después la sacudió en tres, cuatro trapazos, como castigando al aire. La encimó nuevamente sobre la duna:

—Debe ser un mojado —trató de explicar. —Lo habrá tragado un remolino, o se habrá enredado con los lirios. A cada rato llegan arrastrados por las crecientes... Pero flotan; no como éste.

¿De qué estaba hablando? ¿Un mojado ahogado? Mauricio le ofreció un gesto de incierta satisfacción. "Ah sí, claro". Fue a la mochila y hurgó hasta dar con la cantimplora. Se la ofreció a Richi, que empezó a beber con avidez. Antes del alba la tía Evangelina había preparado la limonada y los emparedados de atún. "Un mojado es un mojado", se dijo Mauricio al aceptar de retorno la cantimplora. Le dio un sorbo.

—Prefieren cruzar el río de noche, y ése es el problema. Como llevan ocupadas las manos con el bulto de ropa, cuando pisan una poza... —Richi detuvo el relato, estornudó. —Es decir, dan el primer trago de agua que terminará por ahogarlos. No logran llegar al otro lado y la corriente los arrastra como costales de serrín. Algunas veces los zopilotes son quienes se encargan de localizarlos, inflados y prietos, en los carrizales. Pero éste...

—Este no flota —concluyó Mauricio.

—Sí; es lo raro.

"¿Estás seguro?", iba a preguntarle, pero el rostro descompuesto de su primo lo hizo desistir. ¿Cómo, un muerto bajo el agua? ¿No sería otra cosa? Una tortuga, un saguaro, la llanta de un tractor... En eso los distrajo un chasquido, y luego otro. Eran el par de langostinos reaccionando al calor en el fondo de la lata. Ahora quién pensaba en ellos.

—Oye, Ricardo —la duda lo atormentaba—. ¿Y es un ahogado, o una ahogada?

El muchacho se llevó una mano al rostro y se estrujó los párpados.

—No sé —debió reconocer—. Me imagino que un hombre, por lo de la hebilla, pero podría ser... —aceptó nuevamente el ofrecimiento de la cantimplora. Bebió un trago largo. Que la limonada se llevara todo, la terrible sorpresa bajo el agua y ese espectro amortajado por el fango que lo perseguiría por siempre. Comenzó a hipar.

—¿Estás seguro, primo? —Mauricio recordó la reciente pesadilla: un perro que lo despertaba, le preguntaba dónde quedaba la perrera municipal, le advertía que estaba rabioso y no quería morder a nadie, a nadie y a ti menos, "¿sabes por qué?". Pero no hubo respuesta cuando despertó jadeando a las tres de la madrugada y el perro se iba, estaba y no estaba, se esfumaba en la irrealidad de la penumbra—. A veces imaginamos cosas, Richi. ¿No podría ser una hebilla suelta, perdida, de cuando el huracán?

—Ojalá, pero no creo. La plomada del sedal, de *tu* sedal, quedó enredada precisamente en el cinturón del ahogado. Vieras qué susto... —se estremeció horrorizado—. Creo que podríamos traer al cuetero para sacarlo.

Al percibir la extrañeza en los ojos de su primo, debió explicar:

—Los "cueteros" son los que pescan con dinamita. Lanzan un petardo al río y otros esperan corriente abajo para recoger los peces reventados. Una vez sacaron así a un niño que se ahogó en la presa Falcón. Un niño estúpido porque... ¿a quién se le ocurre meterse sin saber nadar?

—Sí, ¿verdad?

—A los gringos no les gusta esa técnica. Nada más oyen las explosiones y llegan luego luego con sus pangas a regañar a los "cueteros". Que eso no se puede hacer en la línea fronteriza.

Mauricio se levantó de la duna y comenzó a desnudarse en silencio. Guardó la carta inconclusa en su mochila.

—Ándale, Richi, te ayudo a sacarlo porque si vas por el "cuetero" la corriente terminará por llevarse a *nuestro* ahogado —y como si fuera una ocurrencia—: ¿Verdad que no está muy hondo?

—Tú me viste. A ti el agua te llegará, cuando mucho, al pescuezo —y sonriendo por primera vez en mucho rato, añadió—. Supongo que no estarás pensando en ahogarte. ¿O sí, enano?

—La que saldría ganando es Violeta: le tocaría la recámara toda para ella sola. Anda, te ayudo Richi, tú sabes dónde quedó.

—Tráete, pues, el cinto de la mochila. Para algo nos servirá.

En calzoncillos y guiados por el sedal que se tendía hacia el fondo del estuario, los muchachos se fueron introduciendo en el agua. Ricardo iba primero, sondeando el avance. La línea adquiría cada vez un ángulo más cerrado, hasta que de pronto Richi pareció tropezar. Soltó el sedal y avisó con solemnidad:

—Aquí está.

Mauricio permanecía varios pasos atrás, con el agua cubriéndole la mitad del pecho. Luego de sucesivas inmersiones, bufando apenas asomar a la superficie, el primo Ricardo por fin anunció:

—Ya estuvo. Le amarré las patas con el cinto… bueno, los pies.

¿Sería todo aquello cierto? Tarzán, por lo menos, jamás se vería metido en una aventura como ésa. Lo suyo eran las altas lianas del Congo, según lo demostraba el intrépido Johnny Weissmuller, el idioma de los chimpancés, *kriga, kriga, bundolo...*

—Lo zafé de un tronco donde estaba atorado —añadió su primo con una mueca de asco, luego propuso: —Mira, voy tirando con una mano y tú dame la otra para no perder el paso.

En cosa de minutos lograron retornar a la orilla. Habían arrastrado aquel cuerpo ingrávido bajo el agua pero que, conforme iba asomando a la superficie, aumentaba su lastre. Finalmente emprendieron el último tramo, en un solo tirón, porque el cadáver pesaba, entonces sí, como un saco de papas.

No tuvieron reposo. Apenas soltar el bulto quedaron doblemente ateridos al observar que el ahogado llevaba envuelta la cabeza con una bolsa del *Seven-Eleven*. Calzaba un zapato puntiagudo, llevaba camisa de tipo "hawaiano" (aunque el fango le había arrebatado los colores), y lo más sorprendente de todo: amarrada al cinto, arrastraba una plancha eléctrica.

Los primos contemplaban con horror el cadáver cuando de pronto, empujando la bragueta abierta, asomaron dos jaibas que saltaron a la arena y emprendieron la huida hacia el caudal. Richi no lo soportó más, retrocedió varios pasos y comenzó a vomitar en ruidosas arcadas.

Mauricio, sin embargo, permanecía fascinado. El occiso parecía esconder algo más que su horrible muerte. ¿Tendría un nombre, una canción favorita, una madre que le horneara pasteles el día de su cumpleaños? Era imprescindible quitarle la bolsa de plástico. Un hombre sin rostro no es nadie, se dijo Mauricio, "o mejor, es *nadie*". Eso comentó mientras Ricardo salía del incómodo trance:

—Yo creo que es un artista —y se corrigió—. Que *era* un artista del teatro, del circo o del cine. ¿Ya le viste las uñas?

Su primo, sin embargo, no sentía la misma curiosidad. En ese momento la marea obsequiaba un rulo de agua, y con él se enjuagó el rostro.

—Todos los ahogados son iguales —lo aleccionó—. Eso se llama "cianosis": las uñas moradas por falta de oxígeno... Apártate, pendejo, ¿No te da asco?

Mauricio reaccionó con parsimonia. Comenzó a retroceder pero sin quitar la vista de esos despojos apoderados ya por el resplandor solar. "Cianosis", se repitió al recordar que al año siguiente su primo estudiaría medicina veterinaria.

—¿Por qué se habrá puesto esa bolsa en la cabeza?

Ricardo soltó una carcajada nerviosa. Buscó su camisa.

—Sí, ¿verdad? Qué ahogado tan güey—. Comenzó a vestirse mientras la brisa le agitaba la cabellera, pero luego reconsideró: —Mira primo, yo creo que el asunto está muy raro. Lo mejor será dar aviso a la policía ahora mismo, no vayan luego a echarnos una acusación.

—Pero si nosotros lo salvamos... es decir, lo rescatamos —Mauricio buscaba también su ropa—. ¿Acusarnos de qué?

—No sé de leyes, pero en estos casos hay que avisar. Antes de que vengan los zopilotes o salgan las jaibas a seguírselo merendando. Hay que avisar —insistió con fatalidad.

Mauricio observaba el arroyo, apenas perceptible, que escurría a lo largo del surco dejado por el cadáver.

—Oye, nadie podría pensar que nosotros lo ahogamos, ¿verdad Richi? —y siguió abotonándose la camisa—. Digo, cuando vengan los policías y los periodistas.

Ricardo pareció sopesar estas palabras. Lanzó un vistazo de repulsa al muerto, que ya despedía hilos de vapor. Insistió:

—Oye, tengo una idea —tardó en ordenar sus pensamientos—. Me voy volando en la bicicleta para pedir ayuda... y tú te quedas vigilando al tipo. ¿Sale?

El menor hizo un ademán ambiguo. Qué remedio.

—Regreso, a lo mucho en una hora... Contigo, además, tardaríamos el doble, ¿y quién se encargaría de cuidarlo?

El primo Ricardo terminó de atarse los zapatos. No dijo más. Palmeó la espalda al pequeño y emprendió la carrera hacia las dunas donde habían dejado las bicicletas. A medio camino se detuvo, gritó algo que devoró el viento, de modo que Mauricio sólo alcanzó a escuchar:

—...que te puedes infectar.

Lo miró alejarse por la carretera. Una silueta fugaz que muy pronto asimiló la bruma del horizonte. Ya no había nada qué hacer, nada sino esperar. Buscó nuevamente el rastro de su primo, pero en la distancia las reverberaciones engullían la tarde. Alzó la cantimplora y la agitó con ánimo esperanzado. Quedaba limonada suficiente para dos tragos, así que volvió a guardarla en la mochila. "Te puedes infectar... ¿de ahogamiento?", pero no tuvo ánimo de reír. Un ahogado por día, después de todo, es más que suficiente. Lo mejor será reposar, se dijo, y terminó por tumbarse en la arena. Recostarse, cubrirse la cara con la cachucha, intentar una siesta ahora que el sol inicia su descenso.

Habían salido por una docena de langostinos y regresaban con una plancha amarrada al cinturón de un cadáver. ¿Cómo se lo contaría a Violeta, su hermana, que había llorado sin consuelo en el cine cuando Blanca Nieves caía envenenada por la bruja? Comenzó a sudar. Si se quitaba la cachucha el sol le ardería el rostro porque, encima de todo, no había una sola sombra en los alrededores. Además, cuando no hay nada qué hacer no hay nada que... ¿Y ese ruido?

Era como un parloteo. Alguien que se queja. El corazón de Mauricio comenzó a palpitar agitadamente. Murmullos que intentan pasar desapercibidos. ¿Quitarse la cachucha para comprobar que el ahogado se había arrancado, también, la bolsa de la cara? ¡Cómo era que *no* se les había ocurrido comprobar que el ahogado estuviera muerto! Ahora se acercaría para indagar qué había ocurrido.

—¿Tú me sacaste del río?

No quitarse nunca la cachucha. Eso sería lo mejor, ¡claro que sí! Permanecer ahí toda la vida, acostado en la arena, sufriendo el calor abrasante de mediodía y las borrascas heladas de febrero. El ahogado, en cambio...

Se irguió resollando. Al caérsele la cachucha se percató de que ciertamente no estaban solos. Los murmullos, entonces, habían sido de ese lado de la pesadilla. Eran dos cuervos que habían aterrizado sobre el pecho del occiso, picoteando aquí y allá para averiguar los accesos a esa mole de carne en descomposición. Mauricio suspiró aliviado. Aquellos pajarracos lo miraban con recelo, y apenas sacudirse el pantalón saltaron para emprender el vuelo.

Hubiera querido acercarse al tipo. Quitarle ese lienzo del rostro, soltar la incómoda plancha amarrada a la cintura, intentar que sus brazos obedecieran a la posición de "firmes", como los lunes temprano en la ceremonia de honores a la bandera. Eso era lo más patético del ahogado: sus brazos a medio alzar, como si intentara asirse a una barda o esperar el lance de un balón de playa.

—¡Cáchala, cáchala campeón! —le gritó como si estuviera a punto de atrapar un *hit*, el último de la novena entrada, pero el ahogado perdió la oportunidad y dejó pasar el batazo, como le había ocurrido a Mauricio dos semanas atrás en el torneo escolar.

Sobre su cabeza sobrevoló nuevamente la bandada de los cuatro pelícanos. Se deslizaban contra la brisa, uno tras otro, para depositarse luego en mitad del estuario. El chico envidió ese tránsito majestuoso, ellos que no sabían de gritos a media noche ni cadáveres a los que había que custodiar. Los pajarotes guardaban las alas mientras ahí, en la ribera, el sol de agosto irritaba a las cigarras que ya lanzaban su estridor en oleadas de aturdimiento.

Entonces Mauricio se percató de que más al norte, junto al río, se alzaba un grupo de palmeras. Sin pensarlo demasiado se encaminó hacia el lugar, no sin levantar primero la mochila. "Que alguien se lleve al muerto, no hay problema, pero la mochila no", se dijo, porque ahí guardaba la carta inconclusa a su madre. Minutos después alcanzó el oasis y por fin, bajo las sombras combinadas, se recostó con alivio. Intentó adivinar los aromas que arrastraba la brisa del Golfo. Abrió la mochila, buscó la cantimplora y al primer trago supo que aquello se había cocido al sol. Un líquido tibio, amargo, "como de orines de gato", pensó. Definitivamente el sol no servía más que para descomponerlo todo: cadáveres, idas al cine y limonadas. Le quedaba, al menos, el frescor de ese remanso. Empapó su pañuelo en el espejo de agua que había dejado la lluvia junto al tronco donde reposaba y se remojó la cara. "Un lujo que no se podrá dar el ahogado", se dijo al respaldarse en la palmera. Allá, al otro lado del río, el tigre del anuncio le guiñó un ojo.

Lo despertó el rumor mecánico del bote. ¿Había pasado una hora? *Bop bop bop bop bop...* Era un agente fronterizo, con sombrero vaquero, gafas de sol y pistolera al cinto, que navegaba muy cerca del punto donde habían sacado al muerto. Seguramente los zopilotes en carrusel habían delatado al cadáver y ahora el gendarme permanecía ahí, con el motor en neutral, husmeando. *Bop bop bop bop bop...* Nunca se lo perdonaría Richi: que se hubieran llevado al muerto en sus propias narices. Fue una reacción casi instintiva. Echó la carrera y estuvo a punto de perder la cachucha. Llegó jadeando y cayó en la cuenta de lo ridículo de la situación porque el agente ya lo saludaba en inglés tratando de explicarse el cuadro.

—Lo encontramos, lo encontramos en el agua —advirtió— ...mi primo y yo. Ricardo. No vaya a creer que...

El guardia fronterizo accionó la reversa para reposicionar el bote. Algo le contestó, nuevamente en inglés, pero Mauricio no conocía ese idioma. Si acaso algunos rudimentos de cuando la educación preescolar. "Lápiz *pencil*, pluma *pen*..."

—Ya estaba el muerto —lo señaló—. Lo sacamos del agua. *Water, water*, ahí lo hallamos, mi primo y yo. *My uncle*, Ricardo... ¡No, perdón!, mi *cousin*. Se fue por ayuda. *Help*. *Help* —y señalaba hacia el camino más allá de los médanos. Matamoros, la justicia, su tía Evangelina que iba diariamente a misa de siete.

El agente parecía confundido. Desembarcar en suelo extranjero equivaldría a cometer el delito que él mismo perseguía. Se animó a dictaminar:

—*Him must be a wetback, but...* —y le hacía una señal obvia: ¿qué era ese paño envolviéndole la cabeza?

—No sé. Se lo juro que no sé. Así lo sacamos porque nosotros, *my cousin* y yo, andába-
mos pescando chacales, cuando... *Fishing. Fishing*
—alzó el botecito de lata donde guardaban los
langostinos.

El vigía desesperaba. Ciertamente estaba
en la banda del territorio mexicano, pero esos
metros que lo distanciaban de la playa le daban
una cierta autonomía. Meneó la cabeza con gesto resignado y volvió a proferir algo que
Mauricio tampoco entendió. Indicó a los bui-
tres, aposentados en un médano cercano, y repitió aquello que concluía con una palabra más
o menos conocida: *dinner*. Cambió la marcha
en ralentí, *bop, bop, bop...*, y alzando la mano se
despidió al acelerar el fuera de borda.

Allá iba el agente fronterizo remontando
la corriente del río *Grande*. Mauricio se conso-
ló. No había visto un solo velero, como los de
las películas, pero guardaba la imagen de esa
nave surcando el estero, "igualita a una lancha
de carreras", le exageraría a su hermana Violeta.
Entonces se asomó en el botecito de los chacales y lo que descubrió le dio una pista de lo que
es el paso del tiempo. Los pequeños crustáceos
estaban muertos, reventados por el calor, sus
pinzas abiertas como buscando apresar una pizca
de humedad. Entonces había pasado más de una
hora dormitando bajo las palmeras. Tal vez dos,
y el ahogado era una piltrafa cocinándose con
el sol de la tarde.

Pasar la noche en la playa no sería tan terrible, se dijo. Sobre todo porque su madre no preguntaría por él... pero dormir junto a un ahogado, eso ya era otra cosa. Lo único cierto, en ese punto, es que ya no irían al cine Lemus. Otra vez la merienda con el tío Ricardo, sus brandys consecutivos y esos chistes que no siempre entendía donde habitaban las putas, los jotos y los cornudos. El que sí le celebraba aquellos cuentos era Alfredo, su primo mayor, que atendía un taller mecánico.

¿Es esto la vida?

Mauricio volvió a hacerse la pregunta y supo que la respuesta andaría, tal vez, con los cuatro pelícanos nadando en mitad del estuario. Los buscó, pero su mirada sólo encontró rizos de espuma porque la brisa ya arreciaba. Se había propuesto no mirar más al ahogado. ¿Qué sentido tenía hacerlo, después de todo? Como si con ello se le pudiera devolver el aliento, averiguar el domicilio de sus familiares, saber qué insensatez le hacía cargar una plancha eléctrica de ese modo.

—¡Juan Loco! —gritó de pronto— ¡mira cómo llegaste a descomponernos el día!

Imaginó entonces que el ahogado se levantaba, se quitaba la bolsa de la cabeza y le pedía unas monedas para el pasaje del camión. Luego, agradecido, se adentraba nuevamente en las aguas del estero. Alzó la vista y adivinó que le restaría, cuando mucho, una hora de luz. Rumbo a la sierra, ciertamente, un manto de nubes comenzaba a ser devorado por el velo naranja del crepúsculo. "No regresará Richi", se dijo. "Se habrá metido en la cama a llorar". De pronto dio un manotazo a su antebrazo izquierdo pero el zancudo logró escapar. Entonces sí el horror se apoderó del niño. Habían regresado.

No podría dormir de ningún modo, sucumbiría bajo el asedio de un millón de mosquitos. Creyó escuchar un crujido.

Mauricio se alzó y dirigió la mirada hacia la carretera que antes estuvo sembrada de espejos. Por ahí llegarían seguramente Richi, la tía Evangelina rezando a San Judas Tadeo, el tío Ricardo mascullando putasmadres y su primo Alfredo conduciendo a 100 por hora. Pero nada. Observó las nubes evolucionando sobre la llanura igual que monstruos antediluvianos. Las había arrastrado la brisa y ahora, entre relámpagos, se derramarían hasta desvanecerse en mitad de la noche.

Claro está; existía la posibilidad de que algo le hubiera ocurrido a su primo... un accidente en el cruce de la carretera, el conductor de un trailer adormilado luego de catorce horas al volante, la cadena rota al atorarse en el eje trasero. "¡La bicicleta!", se dijo, y con esa revelación supo que ahí, entre las dunas, reposaba su salvación. Debía ir por ella.

En hora y media alcanzaría la ciudad... si no llovía, si no se extraviaba, si no flaqueaba al pedalear. Otro manotazo, pero el mosquito huyó. Volteó, por fin, a mirar al ahogado: ahí estaba, solo, fétido y tan quitado de la pena. Los zopilotes habían reemprendido el vuelo y en aquel médano solamente quedaba un chorlito que hurgaba sobre la línea oscilante del oleaje. No lo pensó más. Recogió la mochila y avanzó entre las dunas, como empujado por el viento, hasta dar con la bicicleta roja que le habían prestado sus primos. Empuñó el manubrio y sacudió el aparato a fin de eliminar la arena de los dos ejes. A él no le ocurriría un accidente en mitad del recorrido. Inspiró con fuerza, para darse ánimos, y recordó que antes de la ciudad existían algunos ranchitos donde podría corregir la ruta... pero antes de esos caseríos la carretera se bifurcaba en varios puntos, y ninguno estaba señalizado. De hecho el único letrero era el de la placa de bronce, junto a la bicicleta, cuya leyenda anunciaba:

BAGDAD
"En este sitio existió una comunidad de pescadores que fue arrasada por el huracán que azotó las costas de Texas y Tamaulipas el 13 de septiembre de 1899. Esta placa conmemora a los 300 pobladores que habitaron, hasta aquel aciago día, éste que fue Puerto Bagdad. Septiembre 13 de 1949, Lic. Miguel Alemán V. Presidente Constitucional de la República Mexicana."

Eso era todo. Trescientos pescadores sin rastro. El abandono y la leyenda después del desastre.

Mauricio soltó la bicicleta y reemprendió la marcha hacia la playa.

Con aquel viento arreciando el calor había menguado. Llegó hasta el médano y se arrodilló junto al cadáver. Comenzaba a rezarle pero se detuvo. A sus doce años ese fallido funeral carecía de sentido. Empleando la navaja herrumbrosa le quitó la bolsa de la cara. Aquello no lo asustó. El ahogado tenía maquillado el rostro: los párpados, la boca, los pómulos, como una mujer. Algo de eso había escuchado en la escuela, y además el cadáver, con aquella palidez, había adquirido una peculiar bizarría. Tenía los ojos a medio cerrar y un coqueto lunar pintado junto a la boca. Mauricio sintió la tentación de acariciarle la cabellera revuelta, pero se contuvo. Hurgó en el bolsillo de la blusa hawaiana y halló un sobre. Estaba húmedo y doblado por la mitad. Buscó en el bolsillo trasero y dio con una cartera. Ahí guardaba tres billetes de 20 pesos, una estampa de la Virgen de Guadalupe, una nota de tintorería, la tarjeta de un licenciado Urtaza, "para todo tipo de trámites legales", y una credencial con su fotografía donde leyó que su nombre era Juan Meneses B., y que pertenecía al Sindicato Revolucionario de Restauranteros, Bares y Conexos de la CROC.

"De modo que Juan Loco es Juan Meneses, y Juan Meneses es Juana la Loca", se dijo el adolescente y volvió a suspirar. Le destrabó la plancha del cinturón y observó que el cable del aparato se adentraba en la bragueta. No se atrevió a tanto. Fue cuando observó que en el bolsillo del pantalón asomaba un filo verde. Verde y dorado. Lo extrajo con cuidado y para su sorpresa descubrió que se trataba de un *Milky Way* intacto. Dejó todo y desdobló cuidadosamente el sobre. Aquella era una carta en dos hojas, y como estaba escrita con bolígrafo la tinta no se había desleído. Se acomodó en la arena, y a pesar de los zancudos que habían retornado al amainar la brisa, comenzó la lectura.

"…carne que se pudra, bienestar que nos obsequie la muerte justa. Venga el beso a quemarme los ojos, la garganta, el corazón", rezaban esas páginas humedecidas en uno de sus últimos párrafos.

El muchacho no entendía demasiado las relaciones de los adultos. Aquella otra noche, de gritos y sollozos —nunca lo olvidaría— su madre había llamado "bestia sexual" a su padre, y ahora estaba esa extraña carta en el bolsillo de un travesti arrastrado por el río Bravo. Al guardar de nueva cuenta la misiva en el sobre, Mauricio supo que era, ya, un hombre distinto. Nunca tendría todas las respuestas; qué necedad, aunque ahora tenía una y era suficiente.

Extendió la mano y acarició la frente del ahogado. Al hacerlo empujó un mechón de pelo y entonces descubrió un largo hematoma en la sien derecha, porque seguramente su agresor había sido zurdo. Se levantó y volvió a sacar las hojas de la carta. Las mantuvo firmes ante el paso de la brisa y en pocos minutos comprobó que estaban a punto de secas. Fue hasta la mochila y extrajo su hule para la lluvia, con el que envolvió la carta. Avanzó hasta llegar al pequeño monumento donde estaba fijada la placa de bronce. Contó doce pasos, como su edad, hacia la guía del sol. Se dejó caer en ese extremo de la playa y ayudándose con la navaja cavó durante varios minutos. Depositó allí dentro la carta envuelta en el lienzo de hule. Empujó la arena hasta cubrir el foso y se alegró al saber que aquel documento quedaría como un misterio, un tesoro, un mensaje enigmático para el fin de los tiempos.

Volvió con el ahogado, le revisó las manos y comprobó que tenía las uñas esmaltadas de rojo quemado. Trató de adivinarle la edad... no tendría más de veinticinco años; "aunque uno nunca sabe", se dijo al avanzar hasta otra duna y depositarse a esperar. Volteó hacia el Golfo, más allá del estuario, pero en el horizonte no había un solo velero. Si acaso algunas nubes rasantes, opacas, que arrastraba el viento en su infatigable labor.

Se arrellanó en la arena y le vino una idea. Se cubriría con arena, sí, y de ese modo resistiría el asedio de los zancudos. Podría aguantar así una, dos noches, y tal vez en la tercera mañana serían dos los muertos rescatados. Rió a media voz y alcanzó la mochila. Extrajo la otra carta, la suya inconclusa, y releyó: "Mamá; está amaneciendo". Luego, apoyándose en la visera

de la cachucha, comenzó a escribir con su bolígrafo: "Los pelícanos van y vienen por encima
del mar. Sopla la brisa del Golfo". Descubrió
entonces una luz que parpadeaba en el horizonte
marino. La noche caería de un momento a otro
y el muchacho se sintió, de algún modo, feliz.

Podría ser el lanchón del agente fronterizo. Podría ser un barco camaronero. Podría ser una estrella primera y podría ser tantas otras cosas. Escuchó un bocinazo, y luego otro.

Sí, allá venían varios autos por la carretera salpicada ahora por el azogue. Una patrulla de policía con sus destellos de emer-
gencia hiriendo la tarde, una ambulancia y
tres camionetas *pickup* abarrotadas de gente
extraña. Se adentraron por las dunas, bam-
boleando, y cuando el primo Ricardo comenzaba a llamarlo a gritos, Mauricio se alzó y
sacudió la arena de sus brazos.

—Acá estoy, Richi.

Los reporteros, con sus cámaras de placa, saltaron los primeros de las *pickup* y ya le
disparaban una primera foto al adolescente de
la cachucha. "¿Dónde está? ¿Dónde está?", reclamaba otro, y Mauricio señaló hacia el bulto
entre las dunas.

—Allá lo saqué, allá estaba... —manoteaba
Richi con el último retazo de luz. —Lo arrastré
desde esa poza y casi me ahogo al cargarlo hasta
aquí. Yo creo que era un artista, por eso tiene
las uñas pintadas y... ¡Miren; está maquilla-

do!—: y *flash flash*, llegaban los destellos para capturar la imagen del muchacho señalando al occiso, mostrando la contusión en el rostro, alzando el cinturón atado a sus pies.

Mauricio volteó hacia el otro lado del río, pero en aquella ribera el tigre de la ESSO ya no estaba. Seguramente se había ido a dormir. Las primeras sombras arrasaban con todo y el muchacho supo que en esa noche, más que sueño, le esperaban horas y más horas de sobresaltos.

—Se llama Juan Meneses —dijo de pronto y se hizo el silencio.

—¿Cómo dices? —preguntó un camillero del servicio forense.

—Que se llama Juan Meneses y trabajaba en una cantina.

Mauricio aprovechó para sacar de la mochila aquellas reliquias: la credencial sindical, la cartera, los tres billetes apelmazados.

Fue cuando Ricardo se acercó y preguntó con extrañeza:

—¿Qué comes?

—Un *Milky Way*. Ya hacía hambre.

Y como el primo no salía de su sorpresa, el jovencito debió precisar:

—Tesoros que encuentra uno en la vida.

Mauricio se friccionó los brazos pues ya comenzaba a refrescar. El muchacho agradeció la ausencia súbita de los zancudos. Era la brisa del Golfo, puntual, que arribaba con las primeras sombras de la noche. Avanzó

INTEMPERIE

Llegó transformado en una ruina de sí mismo. Había perdido un zapato y las dos polainas, además que arrastraba el rifle igual que la vara de un cabrero. Apenas ganar la sombra pidió la primer cerveza, que apuró como si un suspiro. Iban a dar las siete de la tarde y el calor todavía apretaba. Agosto y su pegajoso vahído a pesar del abanico en el techo de la taberna. Eructó ruidosamente y dijo algo que los demás, años después, repetirían luego con la misma sonrisa de asombro: "Me echó al diablo con los ojos".

Dieciocho de Marzo fue construido sobre una leyenda. En todo caso, si hemos de prescindir de las exageraciones, el poblado nació a partir del muestreo de aquellos geólogos obnubilados por los 42 grados a la sombra. Así anunciaron, a los cuatro vientos, el Gran Venero del Noreste. Como si se tratase de un episodio inédito de los evangelios. Sí, "todos habrán de abandonar los algodonales para iniciarse en la modernidad... la modernidad energética que sobrevendrá ahora que los jornaleros queden convertidos en prósperos técnicos de la industria petrolera".

Así lo aseguró el señor gobernador durante la inauguración de aquella primera escuela de cuatro aulas y los pupitres que ya, muy pronto, llegarán de la capital. Lo primordial era fincar el caserío de los futuros operarios del *oro negro*. De ese modo fue cimentado Dieciocho de Marzo; con la visita del ministro de Patrimonio y una banda de guerra que interpretó melodías de anhelante optimismo, sobre todo aquella que celebraba: "Centavo a centavo / Mariquita mía / he de construir la casa / donde anidaraaá nuestro amor"... *Tachún, tachún, tachún.* Se erigieron así las 60 viviendas originales del casco urbano, y cuando el primer pozo topó con el pregonado yacimiento, el gusto duró lo que su pestilente efluvio. Los nuevos colonos, a los tres días, pasaron del azoro al desaliento. Y todo porque luego de aquella explosión y de aquel chorro convertido en flatulencia, no hubo más. Y lo mismo ocurriría en las otras veinte torres de prospección, de modo que meses después comenzaron a ser desmanteladas y Dieciocho de Marzo, qué remedio, quedó sentenciado allí, en mitad del huizachal, como un horizonte de incertidumbre.

Dos eran los policías del pueblo. Uno de ellos, nombrado "el Suavecito", que luego del incidente aquel sería trasladado al hospital de Ciudad Victoria, y éste Evelio Valdespino, posesionado del mostrador y que ya solicitaba una segunda cerveza. Bebió, chasqueó los labios, y ante el quiebre de cejas de los demás parroquianos volvió a musitar como rezando, "…me echó al diablo con los ojos". En eso alguien entró en la cantina y nomás reconocerlo lanzó el grito de exultante agradecimiento:

—¡Viva el héroe que nos salvó del diantre!

El dilema de los pueblos en esa llanura es simple; para rehuir del hastío cualquier fórmula es valedera: el rezo, el juego, el trago y, en general, cualquier ocio que nos permita olvidar la canícula. En Dieciocho de Marzo el termómetro raramente desciende de los 30 grados, además que las moscas pululan sedientas y chocan contra los párpados, los perros mean todos en el mismo árbol hasta secarlo, y las urracas aturden la tarde por millares en el follaje de la plaza. Desasosiego, hartazgo, fastidio, sobre todo cuando el polvo llega con el vendaval de medianoche. Así estaban las cosas cuando arribó, anunciándose con magnavoces, el circo.

"¡Atracciones Wilberto Muller y sus estrellas! ¡Visite usted este maravilloso espectáculo de reconocimiento in-ter-na-cional! ¡Conozca a las temibles fieras arrebatadas de la jungla… el tigre Osiris, el oso Micha capturado en Siberia, Rhi-Já, el gracioso elefante traído de la India! ¡Admire a los Hermanos Silvestre y Lorenzo Stevenson, los más audaces trapecistas de toda América!", gritaba el locutor en el techo de un destartalado camión. "¡Emociónese con los caballitos bailadores de la famosa domadora Petra Von Haganzen! ¡Ría con los payasos Betín y Clavelito! ¡Recuerde, circo Wilberto Muller y sus estrellas…!"

Era como un asomo al paraíso. El paraíso anunciado por aquel camello que tapizaba la avenida con pestilentes cagarrutas verdes.

Apenas salir de la escuela los niños todos enfilaban hacia el potrero de don Pancho Isaías, donde se había instalado la descolorida carpa, y donde los pequeños se maravillaban con aquel tigre haciendo rondas en la jaula, el letárgico elefante jugueteando con la cadena, y los cuatro chimpancés dormitando sobre pacas de heno. Eso era el circo, eso además del tufo de almizcle, los cinco pesos para el boleto de entrada y aquellos malabaristas africanos llevando sendos cubos de agua. Y el saxofonista de la banda, bajo la sombra de un laurel, ensayando en camiseta la melodía de moda: *Volare*.

¡El circo! El circo; el circo como un modo de salir de tantos años de aislamiento. Seis días en que podrían estremecerse, reír a carcajadas, gritar de vértigo y asombro. "¡Precios populares! ¡Emoción asegurada!"

Aquello ocurrió en la primera función del domingo. Seguramente se debió a las prisas, pues los nubarrones presagiaban un diluvio. Y era seguro que el chubasco entorpecería el desmontaje de aquel tinglado; ya que a la mañana siguiente la caravana debía enfilar hacia Matamoros, una plaza garantizada cuyo público pagaba lo mismo en dólares americanos.

A pesar de la amenaza de lluvia, los habitantes de Dieciocho de Marzo respondieron a los carteles que tapizaban muchísimas bardas, pero sobre todo al entusiasmo de los niños exigendo conocer esa pista, donde sus compañeros ya se habían fascinado con las artes de aquel espectáculo de algodón de azúcar y adrenalina. Pero principalmente por una tal Mary Robinson, de tetas portentosas, y que la noche del martes estuvo a punto de zafarse del trapecio. Aguantó con una sola mano, la izquierda, y debió repetir el triple salto mortal ahogando el grito de la multitud mientras giraba como rehilete ceñida por su malla de centellantes lentejuelas.

La función comenzó puntualmente ese domingo de agosto. Ataviado con casaca guinda y sombrero de copa, el director del espectáculo empuñaba el micrófono para invitar a los aplausos cada vez que concluía un acto. Amenizaba esas pausas, que ya se prolongaban demasiado, con referencias simplonas al sano regocijo "...no suelten a la suegra porque se la puede comer el *lión*", tratando de distraer al respetable del chubasco intempestivo que se había soltado apenas iniciar la tanda.

Primero fue el turno de los caballitos amaestrados, que bailoteaban en dos patas al ritmo de un *twist* de moda. Luego el del "hombre-bala" disparado por un artillero ataviado a la usanza decimonónica, como si aquel cañón de utilería hubiese sido robado al mismísimo ejército de Napoleón. Después ocurrió el accidente. No que aquella ojiva humana hubiese dado en mitad del mástil, no. Lo ocurrido fue que en ese mismo instante uno de los chimpancés, columpiándose tras las bambalinas, sintió perder el equilibrio y en vez de asir uno de los tensores del pabellón metió la mano en la caja de luz. Error fatal porque el cortocircuito arrebató el suspiro de los asistentes y la parábola del hombre-bala se perdió en las tinieblas. Todo fue, momentáneamente, un oscuro suspenso porque el mismo director de escena, carraspeando ante el micrófono, resultaba inaudible. Y los otros chimpancés, aterrados por el estruendo, saltaron a la pista y corrieron como desaforados, trepando en las cuerdas y en los postes como vándalos enloquecidos al descubrir que su compañero se había transformado en un amasijo de pelo que soltaba hilachos de humo.

En su desquiciado galope uno de los simios trepó en Rhi-Já y agarrándose de su oreja izquierda comenzó a golpearle el ojo. No lo hubiera hecho. El elefante encogió la trompa y sujetando al chango lo arrojó contra el piso. Entonces retornó la corriente eléctrica y el público suspiró con sorpresa al mirar de nueva cuenta la luminaria del espectáculo, y ese mono desnucado al pie del imponente paquidermo que se llevaba la trompa al ojo lastimado, intentando palparlo, porque Rhi-Já —pocos lo sabían— era ciego del otro.

Uno de los payasos, en lo que se estabilizaba completamente la luz, alzó el cadáver del chimpancé y lo cargó bajo el brazo. Avanzó en silencio hacia la mampara de los camerinos y desapareció tal cual. Llevaba un sombrero roto y una flor de papel. Todo como si fuera el acto final del último circo del mundo, porque ahí estaba nuevamente la banda de música y su ritmo celérico, *tú-tú-tú-tú...* y la voz engolada, por fin, del director del espectáculo anunciando:

"Y ahora... y ahora, luego de este pequeño percance, pre-sen-ciaremos el magnífico espectáculo de este, el circo de Ustedes. Damas y caballeros... respetable público, el Circo Wilberto Muller y sus estrellas se complace en ofrecerles el *chou* por todos esperado. Señoras y señores, ahora con ustedes, ¡el acto de actos! donde nuestro elefante, ¡Rhi-Já!, cruzará la pista sobre una viga de 20 centímetros y luego… con el amable aplauso del respetable, caminará en tres patas, ¡y luego, finalmente, se sostendrá en dos! Damas y caballeros, queridos chiquillines, con ustedes, traído desde la jungla del Indostán, nuestro gran artista, el maravilloso ¡Rhiiiiiii - Jáaaa! ¡Un aplauso, por favor, y un aplauso para Mauro Santibáñez, su valiente domador!, quienes ahora quedan con ustedes..."

El paquidermo sintió, simultáneos, la liberación del grillete y el pinchazo del rejón. Era la señal para iniciar su turno. Comenzaba la rutina, y en la jaula contigua, gruñendo porque no había merendado, Osiris se paseaba sin quitar la vista del tal Santibáñez. Pero ahí estaba ya el celebrado elefante, contoneándose al ingresar en la pista y agitando el bastón con la insignia de la compañía del viejo Muller. Brasileño de nacimiento, Wilberto había sido equilibrista y un mal paso, el último de su vida, lo tenía ahora postrado en la silla de ruedas que mal conducía con una sola mano.

El elefante conocía de memoria la rutina: tres vueltas a la pista, arrebatar el sombrero al director de ceremonias y saludar con él en lo alto, intentar luego colocárselo en la propia cabeza... aunque rodara al piso, barritar alzándose en dos patas, deambular como si estuviera borracho luego de fingir beberse un botellón etiquetado con tres enormes equis, seguidamente marchar con marcialidad según el ritmo de la banda circense, después alzar a Mary Robinson y colocarla con suavidad sobre su cuello para, finalmente, hacer la "travesía de balanza", como era anunciada esa suerte de equilibrio sobre la viga colocada a lo largo de la pista.

Después de aquello y vigilado de cerca por el domador, Rhi-Já se aproximó al director de ceremonias, que se hacía el disimulado, arrebatándole el pañuelo blanco que asomaba de su bolsillo trasero. Con la trompa en alto saludaba al respetable, que aplaudía entre carcajadas, cuando estalló el relámpago y todo quedó en tinieblas.

En mitad del aguacero un rayo había impactado la torre de iluminación y el alarido en las graderías lo empeoró todo. El elefante volvió a sentir el disparo en su ojo izquierdo, como veinte años atrás, y presa del terror buscó la salida. No permitiría que otra detonación le arrebatara la vista de su único ojo. ¡Era su oportunidad! ¡Debía huir en medio de esa súbita oscuridad!... volver con los suyos, impedir que otro escopetazo terminara por dejarlo ciego. El domador lanzó un fuetazo al aire y el chasquido terminó por enfurecer a la bestia.

—¡*Stop*! ¡*Stop*, Rhi-Já! —y otro latigazo que esta vez sí lastimó la grupa del elefante.

El paquidermo barritó encolerizado, soltó un golpe de trompa que derribó al domador y en su carrera hacia la puerta volcó la jaula de Osiris, reventándole las bisagras. En eso volvió la luz, luego de activar los interruptores, y aquello fue el terror mismo: el pobre de Mario Santibáñez yacía en mitad de la pista mientras el tigre deambulaba receloso alrededor suyo. La gente no esperó más y comenzó a correr en busca de la salida, toda vez que el director del espectáculo se desgañitaba:

—¡Calma, por favor! —pues había perdido el micrófono— ¡No corran! ¡Calma! ¡Calma carajo!

El circo de Wilberto Muller, luego de esa noche, no volvería a ser el mismo. Dos chimpancés muertos y aquellas bestias derivando hacia las tinieblas era demasiado. Y encima el tumulto. Madres que gritaban en busca de sus hijos, maridos en busca su mujer, familias enteras resbalando en el lodazal bajo la lluvia. Fue cuando decidieron telefonear a la central de policía de Dieciocho de Marzo, es decir, al comandante Evelio Valdespino, que manejaba la camioneta *pickup*, y a su auxiliar que llamaban "el Suavecito".

Lo del elefante sería más sencillo, pensaron al inicio, pues detrás de él iba una cauda de algarabía. Medio centenar de niños empapados que vociferaban exaltados por aquellos primeros destrozos a lo largo de la avenida Libertad: un poste derribado con su farola humeante sobre el pavimento empapado, un carrito de fritangas aplastado, el altar de la Virgen del Carmen con los cristales quebrados y las veladoras milagrosamente encendidas.

—¡Grita, Chucha, grita! —clamaban los niños detrás del paquidermo. Habían olvidado su nombre y cuando lograban arrancarle un reclamo se estremecían ante ese bramido perdiéndose entre las sombras. ¡Nunca en sus días olvidarían esa noche persiguiendo al monstruo bajo la lluvia!

Lo del tigre se presentaba más complicado. El felino, tras reponerse del trallazo de la jaula, se había esfumado bajo los faldones de la carpa y nadie pudo precisar el rumbo. Que había escurrido hacia el mercado municipal, que estaba trepado en lo alto del laurel del jardín central, que prefirió el cauce del río donde sobraban las chivas ramoneando. Y encima de todo el gentío desperdigándose a oscuras bajo la tromba y las madres clamando por sus criaturas.

—¡Ya se lo habrá comido el tigre!

La leyenda contaba que un día de San Juan, allá por el 44, un puma hambriento bajó de la sierra y se llevó a una muchachita que lavaba en el río. Ya no se la volvió a mirar. Algún chascarrilloso, tiempo después, aseguraba haberla visto en McAllen, con una panza de siete meses. El puma, eso sí, permanecía en la hacienda de Chocoy: disecado y con sus ojos de canica.

El que supo seguirle la pista fue el payaso del sombrerito roto. Lo acompañaba el comandante Valdespino y su auxiliar, que nunca se quitaba el quepis de servicio. Habían ido a la comandancia por los rifles y las linternas sordas, aunque el pantomimo les advirtió que no serían necesarios. Llegaron ciertamente al mercado municipal, porque las huellas rastreadas por el payaso eran inconfundibles, y ahí, frente a los puestos de carnicería, lo hallaron. Estaba echado y como esperando la hora en que abrirían las cortinas metálicas. Evelio Valdespino cortó cartucho a su carabina y avanzaba tembloroso hacia el enorme felino cuando una mano lo obligó a bajar el arma.

—Bicho, bicho travieso —susurraba el payaso al adelantar aquellos pasos que lo depositaron junto a la bestia. Le extendió algunos arrumacos y luego, ante la sorpresa del par de policías, lo alzó cogido de los bigotes.

—Bicho, bicho travieso —lo condujo hasta la caja de la *pickup* donde se acuclilló a su lado y así, jugueteando con la flor del sombrerito lo acompañó de regreso al potrero de Pancho Isaías.

El tigre había sido felizmente capturado, le aventaron una piltrafa de carnero dentro de la jaula y ahora sólo quedaba pendiente el asunto de Rhi-Já.

La pista la dieron los niños retornando a media noche, exhaustos y empapados, de la llanura. El elefante se había adentrado en aquella pampa interminable que lindaba, muchas leguas después, con el mar. De esto tuvieron noticia, ya de madrugada, el comandante Valdespino y su compañero el Suavecito. No pudiendo deshacerse del payaso rescatador, lo dejaron subir en la caja de la camioneta, donde se recostó igual que una marioneta sin hilos.

Tomaron por la brecha de Pastizales alumbrando su avance con los faros destartalados del vehículo, frente al que algunas liebres cruzaban a saltos como espectros asustados. Ya amanecía y el frescor de la hora los obligó a abotonarse las chamarras.

—Oiga, señor payaso —el comandante Valdespino asomó de la cabina—. ¿Y como cuánto vale ese maldito elefante?

El del sombrerito tardó en responder:

—No sé... lo compramos en Houston. Bastante.

—¿En Houston?

—De eso ya pasaron los años. El que la educó fue don Wilberto, antes de su accidente.

—¿La educó? ¿A quién?

—A Rhi-Já. Está muy encariñado con ella.

—Entonces, ¿es hembra la bestiecita?

Callaron. En la claridad de la mañana les llegó el bramido, casi metálico, del elefante.

—Pero —Valdespino se rascó una patilla al otear aquel horizonte sumergido en la bruma—, digo, algo habrá de valer. ¿Veinte mil pesos?

—Dólares —musitó el payaso del sombrerito. Alzó la mano y señaló hacia un macizo de mezquites—. Por allá.

Valdespino lanzó una mirada cómplice a su compañero pero el Suavecito, arrullado por el bamboleo, ni se enteró. El comandante le dio un golpe en el hombro, que estuviera atento al camino, que le ayudara a culminar esa proeza.

—Alguna recompensa nos habrán de dar, pareja —musitó Valdespino por encima del rumor de la máquina—. Digo, si el animalito vale... algo nos tocará.

El del quepis ya no lo escuchó. Ahora viajaba con medio cuerpo fuera de la ventanilla, escrutando aquellos arbustos en la distancia, cuando de pronto pareció impactarse por un relámpago. Se adentró en la cabina y soltó:

—Oiga, mi capi. No va a caber.

Tenía razón su compañero. Aquella bestia no podría viajar, ni de broma, en la caja posterior. Dos marranos sí pueden ser transportados en el compartimiento de una *pickup*... pero un elefante.

—Oiga, señor payaso —volvió a llamar el comandante Valdespino—, ¿y cómo piensa regresar a su animalito?, porque, lo que es en esta camioneta, no va a caber.

—No se preocupe, mi capi. Rhi-Já es casi una mascota, y así como saca uno a pasear al perro, así lo despachamos con la cuerda ésta que traje. Lo que ocurrió anoche me los descompuso, pero déjelo en mis manos —el payaso buscó arrellanarse en las incómodas aristas del cajón—. Lo regresamos andando.

"O sea que lazándolo y ya estuvo", se dijo Valdespino al escuchar aquel segundo bramido en la distancia. "Igual que las vacas de un jaripeo."

—Pues que sean 200 dólares —murmuró en el cambio de velocidad—. El precio mínimo del rescate.

El Suavecito volteó a mirarlo con extrañeza. ¿De qué estaba hablando? Entonces, al notar que el vehículo desaceleraba, indagó:

—¿Jefe, nos vamos a detener? —pero su compañero le devolvió un gesto ambiguo, de complicidad.

—Oiga amigo —anunció el comandante dirigiéndose al pasajero de atrás—. Qué le parece si exploramos un poco el terreno. Para ver por dónde.

Había frenado la camioneta, y cuando el mimo procedía con obediencia, susurró:

—Agárrese, sargento... —y dio un tirón al chicotear el embrague.

Sorprendido por la maniobra, el Suavecito volteó hacia la nube de polvo que se expandía detrás del vehículo.

—Se cayó el payaso —advirtió sorprendido.

—Ah… ¿no me diga? —y luego de aquella sonrisa desbordando socarronería, anunció—: Ahora nos toca a nosotros capturar al bicho... y cobrar la recompensa. ¿No escuchó lo que dijo que vale?

Evelio Valdespino se desabotonó el cuello de la camisa. El primer calor de la mañana anunciaba ya el infierno que aquello sería a media tarde. Viró hacia la rambla del río, envuelta por las frondas de los sabinos, ahí donde corría el hilo de agua esmirriado por el estiaje. Miró a través del espejo retrovisor y supo que aquella batida, y su trofeo, les correspondería solamente a ellos.

El camino de terracería derivaba hacia un espesura de mezquites donde el paquidermo permanecía emboscado. "Tal vez ya se regresó al pueblo, remontando el río", pensó el comandante Valdespino.

—Pásese atrás, sargento —ordenó al detener la *pickup*—. Pásese y prepare el mecate ése para cuando lo avistemos. Me le emparejo y ya estuvo: lo laza usted y nos regresamos.

El del quepis obedeció en silencio. Al cerrar la portezuela, sin embargo, tuvo un momento de desconfianza:

—Oiga, mi comandante, pero si... —y como no pudo articular su cuita, trepó sin más en la caja metálica.

El río Conchos describe amplísimos meandros en su transcurso hacia la costa. En los meses de septiembre y octubre, sin embargo, se precipita convertido en una masa de fango que lo arrastra todo; perros ahogados y huizaches porque las tormentas de la temporada son despiadadas, y era el caso de la fecha. El lodo se extendía por la ribera y dificultaba el avance de la camioneta. Una liebre cruzó como saeta delante del vehículo y en lo alto del cielo cientos de golondrinas se apoderaban, con trazo majestuoso, del firmamento. Parecían nadar en un mar de intangible cobalto cuando de pronto, surgiendo de entre las frondas, saltó el elefante. Iba con la trompa en alto y barritando.

—¡Lázelo, sargento! —gritó el comandante Valdespino—. ¡Échele el lazo, carajo! ¡Échele el lazo! —mientras intentaba esquivarlo.

El monstruo, sin embargo, se les emparejó a toda carrera y de un tope volcó la camioneta.

Luego de aquello Rhi-Já se alejó del sitio bramando y con las orejas extendidas. Era el festejo de su victoria; de su libertad.

El Suavecito había quedado atrapado bajo la *pickup*. Intentó quejarse pero no le alcanzó el aliento. Aún conservaba la reata en la mano derecha, aquel nudo corredizo que no pudo lanzar, y observó no lejos de ahí su quepis de servicio. Intentó incorporarse pero la pierna derecha le dolió horriblemente. "De seguro que está fracturada", se dijo, y entonces supo que esa historia, si sobrevivía, la contaría una y otra vez los domingos a sus nietos. Soltó una carcajada, breve, porque la pierna volvía a punzarle.

—¿Está bien, sargento?

Era una pregunta estúpida. El policía Valdespino había logrado escurrirse por el hueco de la ventanilla y se masajeaba el cuello. Tenía un largo rasguño en el antebrazo izquierdo. ¿Cuánto había durado el incidente? Volteó hacia la llanura, más allá del macizo de mezquites. ¿Medio minuto? Y del monstruo no quedaba más que su estropicio; nada. Tres años había tardado el ayuntamiento en dotarles con esa camioneta, porque antes prestaban el servicio en bicicleta, y ahora el vehículo era una ruina.

—La pierna, comandante. La que me jodí fue la pierna —explicaba tendido el subalterno—. Y discúlpeme… Fue cosa de la inexperiencia.

—La inexperiencia de qué —iba a ser necesario palanquear el vehículo para liberar a su compañero.

—Pues eso, mi comandante… ¡nunca me imaginé lazando elefantes! Y además… y disculpando. Y además me cagué.

Evelio Valdespino empleó la rama de un mezquite para presionar y liberarlo. Como apenas si podía sostenerse, lo arrastró al pie de una de las frondas donde quedó recostado. Le entablilló la pierna con unos cartones y le entregó la cantimplora que siempre cargaban detrás del asiento.

—Qué, ¿me va a abandonar aquí, mi comandante? —el sargento trató de enderezarse, pero desistió. Lo mejor era reposar la cabeza en las raíces del sauce.

—Ya di aviso por radio —le informó—. Les dije lo del accidente, lo de su pierna, lo del demonio fugado... Vendrán por usted en un rato, yo creo —Valdespino se terció al hombro la carabina, sacudió el polvo de su chamarra—. De seguro que al mediodía ya habrá llegado la ambulancia —y luego, palpándose la herida del antebrazo—. ¿Podrá aguantar, sargento?

El Suavecito prefirió retener la respuesta. Observó que una de las golondrinas había regresado a rayar el paisaje. De seguro que dos horas después, adivinó, la canícula será insoportable.

—¿Usted no va a querer un trago, comandante? —ofreció de regreso la cantimplora.

Valdespino aceptó el convite. Bebió a gusto. Dejó que el frescor le escurriera por el cuello hasta mojar la camisa.

—Ya di aviso por el radio —insistió. "Aunque no contestaron", y le devolvió el recipiente—. Si no estuviera lastimado, de seguro que me acompañaría. Usted lo sabe, sargento, el deber es eso: el deber.

—Sí, claro.

Instintivamente voltearon hacia el rumbo por donde se había escabullido el paquidermo. Apenas si habían dormido un par de horas, a media madrugada, orillados en la carretera.

—Yo le diría, mi comandante, que no lo tomara tan a pecho. Digo, ¿qué se pierde si se pierde la criatura?... —y volvió a soltar una breve carcajada.

Valdespino se montó la chamarra al hombro. ¿Serían esas las primeras alucinaciones que sufren, según dicen, los deshidratados?

—¿Vio cómo lo arrastró? —el Suavecito aguantó la risa— ...de los purititos bigotes. Digo, al tigre.

El otro alzó en silencio la cuerda arrollada. La colgó junto al arma y se dispuso a partir. No había dado cinco pasos cuando la voz del subalterno lo detuvo.

—Oiga. Oiga, mi comandante... ¿No me podría alcanzar mi gorra? —y la señalaba como si el gran tesoro junto a la estropeada *pickup*.

¿Dónde estarán los demás? El elefante intuía que, una vez retornado al territorio primigenio, por ahí debían andar sus hermanos, su madre, la manada de once que deambulaba por la llanura del Mahanadi. Eso había sido hasta la edad de siete años, aquella tarde horrible en que se les ocurrió internarse en los maizales de Titagarh. Apenas hacerlo fueron atacados por los hombres de los palos que humean, hieren, restallan igual que un relámpago.

El Mahanadi, ¡ah, sus frescas aguas al mediodía! Por ahí debía estar el río y su valle sembrado de juncos. Tal vez más adelante, corriente abajo, donde las garzas solían pasear entre sus patas librándolos de alimañas. Regresar con sus hermanos y retozar en el fango porque, ¿hay algo mejor en la vida?

Los años de cautiverio le habían robado todo, menos la esperanza que languidecía en su memoria. Ramonear los brotes en las primeras horas del día, explorar los nuevos territorios, avanzar en hilera, la abuela al frente y detrás las crías que jugueteaban con todo. Luego, al atardecer, había que recogerse, dormir en círculo con los cachorros al centro. Así todos los días, bajo la lluvia y bajo la luna asomando luego del monzón, había que migrar del juncal a las colinas sufriendo las ventiscas súbitas que descendían del glaciar. Un año y otro año, hasta el día infausto en que decidieron ingresar al maizal de Titagarh.

Habían sido días malos, de estiaje, los ramajes perdiendo verdor y el valle entero convertido en un enorme rastrojal. Por eso, y contra la voluntad de la abuela, ingresaron en aquel campo de maíz. De pronto aparecieron los hombres vociferando, algunos con aquellos palos humeantes que detonaban horriblemente... como el que le arrebató, de un solo golpe, la vista del ojo izquierdo.

Qué día más terrible. Enloquecido por el dolor comenzó a correr sin rumbo, hasta perderse lejos de la manada. Así entró en la aldea donde los hombres lo lazaron. El joven elefante alzaba la trompa, barritaba, giraba en redondo presa del pánico... No iba nadie a acudir en su auxilio Por eso lo bautizaron con ese nombre: Rih-Já, "el grito en lo alto", y fue domesticado junto a los viejos elefantes de la comunidad.

Le construyeron un techado de palma. Le encadenaron la pata a un cepo. Le obsequiaron una manta para las noches de invierno. Y no, no vivía tan mal luego de esas jornadas en que lo mismo era empleado para el arrastre de carromatos que para derribar troncos en el bosque. Hasta el día de carnaval en que, enjaezado con plumas y listones, lo descubrió don Wilberto Muller. El apoderado del circo viajaba por el Oriente en busca de rarezas para su empresa y lo adquirió por poco más de mil dólares. Luego vino la jaula, el viaje en ferrocarril, la navegación en la sentina del carguero; cinco semanas durante las cuales no vio el sol.

Así llegó al circo. Se acostumbró a la cadena, aprendió insólitas disciplinas, se transformó en un ser noctívago. Esa era la vida en el campamento errante: convivir con otras bestias, someterse a los domadores, compartir el ocio con los malabaristas a media mañana. Pasaba la mayor parte del día debajo de una carpa, al paso de la brisa, exhibiéndose ante la mirada de los niños que lo miraban extasiados:

¿Cuánto pesará? ¿De qué país exótico provendrá? ¿Será peligroso montarlo?

Pero ahora, luego de esa noche de relámpagos, había regresado por fin al valle del Mahanadi. Barritó una, dos, tres veces. Que todos escucharan su bramido, que se enterasen de su retorno. ¿O sería que los demás… la abuela, su madre y sus hermanos habrían sido destinados a diferentes circos donde igualmente convivirían con llamas y chimpancés? Por lo pronto ahí estaba el río. Quiso reconocer esa playa de guijarros. Aprovechó aquellos charcos recientes para abrevar, luego se dispuso a ramonear junto a la ribera y más tarde, cuando el calor apretaba, decidió adentrarse en el frescor del caudal.

Qué delicia recostarse en el fango y, dormitar un rato bajo el sol porque, después de todo, aquella había sido una noche tremenda. Algo así como una pesadilla de insomnio y fuga, y ahora sólo quedaba la fatiga. Recordó a Mauro Santibáñez, su domador, que de cuando en cuando le obsequiaba cubitos de azúcar. ¿Habría quedado malherido luego de aquel golpe? Una noche terrible, caótica, absurda, y encima la tormenta que se hizo cómplice de su fuga. La noche, a fin de cuentas, de su libertad.

Valdespino lo columbró en la distancia. Eso era necedad pura. ¿De qué modo había dado con su rastro? ¿O sería que iba en pos del *otro* rastro, es decir, del monstruo? Aquel perseguidor, sin embargo, se reducía a una simple figura perdiéndose en el horizonte, aunque su andar rengueante resultaba delator. ¿Cómo se llamaba aquel payaso de la flor incrustada en el sombrero? Sosteniendo la marcha nunca le daría alcance, sólo que el comandante cargaba la soga, su carabina, la incómoda chamarra colgada al hombro. Se imaginó retornando triunfalmente con aquella bestia sujeta por el lazo, igual que las señoras pasean a sus perritos en las películas en blanco y negro. Entregaría el elefante al circo y después, si era parecer del administrador, que lo recompensaran.

—Cien dólares no estaría mal. Nada mal —se descubrió repitiendo.

La sal en sus labios le recordó el peligro de una insolación. Imaginó que podría perder la razón, deshidratado, bajo el apogeo de la canícula. Tenía la camisola empapada en sudor y a ratos le venía un calambre en las pantorrillas.

Debía beber. Decidió encaminarse nuevamente hacia el río porque, en cosa de horas, habían desaparecido los rastros de la lluvia. "¿Y el Suavecito?", recordó. "¿Habrá ido la ambulancia en su auxilio?"

Descender al cauce le reduciría la perspectiva y así no será tan sencillo avistar a su presa, pero no existía otra forma de paliar la sed. Paradojas meridionales, en aquella comarca no llueve nunca, casi nunca, y cuando llueve se derrumban los cielos de Noé. Así que Valdespino se encaminó hacia la cañada porque además, de ese modo, el payaso necio no lograría distinguirlo y seguiría deambulando como títere en la pradera.

Así llegó al Conchos, que discurría con el caudal engrosado, aunque sus aguas estaban teñidas por el fango. No lejos de ahí, afortunadamente, chorreaba un hilo de agua filtrada por las rocas. El comandante depositó sus trastos y se dispuso a sorber ladeando la cabeza hasta percibir que su estómago era una bolsa colmada. Se empapó la cara, la camisola, los antebrazos. La llanura seguía contagiando un calor pegajoso, húmedo, de agosto pisando septiembre. Alzó la vista y pudo reconocer, a lo lejos, un macizo de nubes que avanzaba desde la costa. A lo mejor volvía a llover esa noche, pensó, y sufrió entonces un vahído. Era el golpe de la fatiga. Bostezó, y en lo que se le pasaba el mareo se percató de que le urgía una siesta. No lo pensó demasiado, su cuerpo parecía caérsele desarticulado, y buscó la espesura del pastizal. Se recostó a la sombra de un sauce, luego de acomodar sus cosas, y al séptimo respiro dormía ya como bendito.

Mamá cerrando la puerta. Las ventanas rotas de la casa. Un sapo horrible que quiere entrar. ¡Levanta la piedra y mátalo! ¡Evelio, mátalo! El sapo, sin embargo, *es* la piedra que has empuñado. Se aferra, no se deja arrojar, está fundiéndose en la piel de tu mano...

¿Cuál es la sustancia de los sueños? El susurro que oímos, ¿pertenece a los muertos que habitan nuestro recuerdo o es un sonido real que permea del mundo *exterior*? ¿Y los sueños que no recordamos?, es decir, esos sueños *inexistentes* sin registro ni consecuencia, ¿a dónde se dirigen luego de soñados?... El comandante Valdespino despertó con el ruido. Abrió los ojos y estiró el brazo; sí, ahí estaba su carabina. ¿Y la soga? El ruido era el de alguien que salpicaba. Alguien bañándose. Alguien. Alzó la mano y constató, complacido, que el sapo se había esfumado. La tarde comenzaba a refrescar y las sombras se alargaban cada vez más. Sin embargo, no lejos de ahí, alguien seguía salpicando.

Valdespino se incorporó con cautela. Observó que la soga conservaba el nudo corredizo. Iba a ser una operación complicada, desde luego, pero no le quedaba otra alternativa. Asomó por un lado del tronco y lo descubrió, hermoso y enhiesto, sobre el arroyo donde él se había saciado minutos atrás. El berrendo dejó de abrevar, volteó hacia el sauce y erizó el trasero. Fue la señal para los otros dos que reposaban cerca del lugar.

Era la segunda ocasión que Valdespino miraba a esos gamos del desierto. Reconoció sus cuerpos listados en blanco, pardo y negro, y esa cornamenta como cofia imperial. El comandante Valdespino permaneció echado bajo la sombra, quitó el seguro de su arma y apuntó hacia el mayor de los berrendos. Era un tiro complicado, por la distancia, y se imaginó cargando luego la pieza a lo largo del camino. Aguantó un minuto, regodeándose con el gamo en su punto de mira.

—¡Bicho! —gritó por fin, y los berrendos desaparecieron en cuatro saltos.

Aquello le pareció maravilloso. Un minuto atrás un sapo atormentaba su fantasía y ahora, en un pestañeo, aquel encuentro inusitado se disipaba en el polvo del horizonte. Miró su reloj pulsera y comprendió que, ciertamente, le quedaban dos horas de luz. Debía continuar con la búsqueda. Seguir avanzando por el cauce henchido, hasta alcanzar la costa del Golfo. Eso no lo había comprobado nunca, pero debía existir un punto en donde el caudal llegara a su término. Igual que su búsqueda. Volvió a beber del chorro que manaba de las rocas antes de proseguir.

Imaginó que tal vez más adelante podría sorprender a una ardilla, o una codorniz, aunque con el tiro de su arma la reventaría. Además que sería necesario encender una hoguera para asar su presa... Y le vino un dolor. Hizo cuentas: llevaba más de un día sin probar alimento. Lo último que había comido, la tarde anterior, era un salpicón adobado, media docena de tortillas y un plato de frijoles charros. Además del par de cervezas. No lo pudo resistir más. Debía comer algo, lo que fuera. Inmediatamente. El hambre le había producido el cólico y de pronto temió, por cosas de la imaginación, lo que le podría ocurrir si se extraviaba en el erial. En su eterno peregrinaje, recordó, los indios cherokes transitaban por aquel páramo llevando enhiestas sus plumas de águila. Pero él no tenía vocación por el nomadismo. De pronto ahí adelante, en uno de los mogotes junto al caudal, las reconoció.

Eran varias "flores de niebla", porque aparecen con la primera humedad, y comenzó a cavar ayudándose con una laja. Alguien lo había contado en alguna sobremesa, tal vez su abuela, eso de que en sus raíces se guardan apetitosos camotes que para ser comestibles deben ser asados previamente. Como hacen los cherokes. Y no paró hasta dar con ese puñado de rizomas, no mayores que una nuez, de modo que lo que ahora procedía era juntar un poco de leña y encender la fogata...

—¡Perra güevera! —exclamó, porque sin fuego aquello iba a resultar poco menos que imposible.

Rebuscó en sus bolsillos y al fondo de la chamarra halló, sí, una carterita de fósforos con la leyenda "MOTEL LA BRISA", todo en mayúsculas, de modo que hacía por lo menos un año que no oreaba la prenda. Dejó aquel tesoro y comenzó a juntar palitos dispersos. Qué complicado era sobrevivir sin estufas ni neveras, porque habitar en Naturaleza obliga a un precio que...

El monstruo. Aquel mogote de barro se acababa de erguir, siete pasos adelante, y lo enfrentaba. Era Rhi-Já, despertado por el trajín de su perseguidor, que sacudía violentamente las orejas. Bufó un par de veces, como intentando reconocerlo, y Valdespino soltó aquel ramaje. El elefante tornó la cabeza, para mirarlo con su ojo ciclópeo, y le extendió la trompa en un gesto confuso.

El comandante retrocedió varios pasos, intentando no mostrar su nerviosismo. Quiso correr, pero la ocurrencia era suicida: si la bestia se percataba del pánico que lo poseía, iba a arremeter con furia acrecentada. Es lo que ocurría en Dieciocho de Marzo con los perros sin dueño. El paquidermo, sin embargo, adelantó el mismo trecho. Volvió a extenderle la trompa, como indagando. Hizo un ruido extraño, que al comandante le sonó como un maullido.

—Espérame, caracho —se animó a decir—. Voy por el lazo.

Evelio Valdespino dio media vuelta y echó a andar con falso aplomo. Cada paso que completaba era un escaño de vida que registraba su esfínter. Oía su propia respiración, los latidos acrecentados en sus arterias, el paso de la brisa entre los abrojos. "Dios te salve, María", y otro paso, "llena eres de gracia", "el Señor es contigo..." Cuando llegó hasta su equipo se percató de que todo sería inútil. No podía controlar el pulso, le temblaban las manos, las rodillas, la quijada. Intentó sujetar la cuerda y lo logró, con enorme esfuerzo, medio minuto después. Empuñó la soga y giró en torno, pero el elefante ya no estaba. Se había esfumado en silencio, como una sombra más del implacable atardecer. Quedaba, si acaso, una cauda de polvo arrastrada por el viento.

El comandante se desplomó sobre el arenal. Miró la soga, su carabina, la chamarra, las rizomas de "flor de niebla", su carterita de fósforos. Soltó un sollozo y comenzó a llorar igual que un niño en abandono. A lo lejos, como el silbato de una locomotora, asomó el remoto barritar del paquidermo.

"¿Y si dejamos que se vaya a la chingada?", reflexionó al enjugar ese rastro de vergüenza. "Es decir, ¿y si me regreso y digo que no vi nada?" Comenzó a roer aquellos camotes amargos, harinosos. "¿Y si nos resignamos a que se pierda en el inmenso huizachal?" Escupía las piedrecillas adheridas al tubérculo. "¿Qué se pierde?"

Fue una noche particularmente difícil. Primero la brisa, que enfrió y trajo la lluvia en mitad de la madrugada. Luego la diarrea, cinco, seis veces bajo el asedio del aguacero. Y encima el barro pegajoso bajo el mezquite donde intentaba guarecerse, pero cuya fronda apenas lo protegía del mal tiempo. Apenas si lograba conciliar el sueño, azuzado por los relámpagos como fogonazos en el horizonte. Si hubiera asado los camotes ahora no tendría ese garfio torturándole las entrañas. Eso duraba ya demasiado y, por lo tanto, sería mejor abandonar el rastreo. Retornar por el cauce del río. Reportar que aquella había sido una comisión absurda, inútil. Además que la herida del antebrazo se le había infectado. Evelio Valdespino, comandante del cuerpo de policía de Dieciocho de Marzo, saludó la primera luz del día. Se desperezó largamente y musitó convencido:

—Que se lo lleve el demonio.

Era necesario tomar un atajo. Si regresaba por donde había dejado la camioneta le tomaría un día más, y así, debilitado como estaba, podría no llegar a casa. Corría la leyenda, muchos años atrás, de los buscadores de gemas que se adentraron en la sierra. Salieron tres y regresó uno, solamente uno. Como cargaban poca agua alcanzó para el más impulsivo, el que la robó de madrugada. A los otros los hallaron semanas después, en mitad del páramo, roídos por los coyotes. Y las piedras de "amatista", arrancadas a los peñascos, resultaron ser simples ópalos que ni para labrar llaveros.

"Regresar a casa", se repitió Evelio Valdespino. Que lo bañara su mujer, que le ofreciera un caldo de gallina, que lo arropara entre las sábanas. Y en cuanto a su subalterno… ¿Habrían recogido al Suavecito allá dónde la *pickup*? ¿Habrían escuchado el mensaje transmitido por radio? Él, por lo menos, se había quedado con la cantimplora a un tercio de agua. Ahora lo necesario era no perder pie, dirigirse derechamente hacia aquellos lomeríos, que eran los del rancho Pastizales, ¿o eran las crestas de San Nicolás? Y el sol, a esa hora ya, como un yugo de fuego. Sí, que lo bañara en la tina de zinc, con esponja y arrumacos. Que le preparara una jarra de limonada con doce hielos. Un repentino temblor le asaltó el rostro; ese ojo guiñándole a nadie. ¿Y si eran las crestas de San Nicolás? ¿No había que marchar hacia el sur? Y ese zapato desanudado, si seguía así lo iba a perder en mitad del yermo. Regresar descalzo, como un salvaje, y ahí estaban otra vez los racimos de "flor de niebla" ofreciéndose a su paso. El recuerdo le provocó una arcada, pero no hubo nada que arrojar. Solamente el dolor en el bajo vientre y ese ardor en el cuello descubierto. Una lagartija cruzó su camino y casi la pisa con su pie descalzo. ¿En qué momento había perdido el zapato? Dio media vuelta y desandó un trecho. Ahora el retortijón le traspasaba el estómago. Algo que traía ulcerado ahí dentro. Por fin, allí estaba su zapato, junto a un cardo. Se acuclilló y se calzó con dificultad. Trató de atarse la agujeta pero debió esperar a un segundo intento. Lo que sí, se desprendió de aquellas polainas reglamentarias. Nada más estorban y hacen tropezar, se dijo al incorporarse. Con el mareo lo reconoció de nueva cuenta. Ahí estaba, por donde había cruzado la lagartija, el imponente Rhi-Já.

El elefante lo observaba con su único ojo útil. Balanceaba la trompa como saludándolo. Valdespino alzó su arma, lo centró en la mira y disparó. Su maltrecha condición, sin embargo, le hizo fallar el tiro. El monstruo se enfureció al acto. Le dirigió una mirada sin piedad. ¡Otra vez esos hombres con sus palos de relámpago! No, de ningún modo perdería la vista de su ojo derecho. Lo atacó iracundo, con la trompa en alto, barritando pavorosamente.

Valdespino intentó controlar el pulso. ¡Cómo había fallado a esa distancia! Volvió a apuntar contra la bestia que arremetía transformada en una furia. Disparó... pero el elefante se abalanzaba sobre él dispuesto a aplastarlo. El comandante quiso hacer un tercer disparo, pero la carabina se había encasquillado y ya no pudo destrabarla. Rhi-Já avanzó dos, tres pasos más, y de pronto cayó fulminado como un peñasco. El segundo disparo fue certero, le había reventado la aorta y ahora soltaba un último estertor.

El comandante Valdespino miró con asombro a la enorme bestia abatida a dos pasos de él. La cortina de polvo aún no se disipaba cuando escuchó:

—Me lo hubiera dejado a mí.

Era el payaso. Avanzaba en silencio, la florecita rota balanceándose sobre su sombrero y como si aparecido por encantamiento. No se detuvo hasta alcanzar la cabeza yerta del elefante. Cerró ese párpado enorme expuesto al sol.

—Ahora sí, usted mató al circo —acusó al tiempo que acariciaba su trompa lánguida, ese par de colmillos desportillados.

El comandante bajó por fin su carabina. Se rascó la herida del antebrazo.

—¿No vio los ojos que me echó?

—Era tuerto, por si no lo sabía —el payaso prodigaba inútiles cariños en aquella oreja cubierta de polvo—. Usted lo provocó. Usted mató al circo.

Luego comenzó a llorar en silencio.

No quedaba mucho más por hacer. Valdespino se deshizo de la soga, aventó su chamarra al suelo. Preguntó antes de partir:

—Y usted, disculpando. ¿Usted cómo se llama?

—Clavelito Alcanfor.

—No —insistió el comandante con gesto mofletudo—. Yo digo su nombre verdadero.

El payaso había depositado una mano sobre los belfos babeantes del monstruo. No volteó a mirarlo, tardó en responder:

—Ya le dije; Clavelito Alcanfor.

El circo de don Wilberto Muller sobrevivió una temporada más, para regocijo del respetable. El 7 de abril de 1959, sin embargo, fue rematado a la empresa Ringling Brothers, en Houston, y esa misma noche se ahorcó la domadora Petra Von Haganzen. El esqueleto de Rhi-Já fue llevado, luego de numerar los huesos, a la bodega aduanal de Tampico. Ahí reposa, arrinconado, junto a dos montacargas oxidados que hace tiempo fueron dados de baja.

Llegó transformado en una ruina de sí mismo. Evelio Valdespino había perdido un zapato y las polainas. Arrastraba su carabina igual que la vara de un cabrero. Apenas llegó a la sombra pidió una cerveza, que apuró en un suspiro. Iban a dar las siete de la tarde y todavía apretaba el calor. Agosto y su vahído pegajoso. Eructó groseramente y dijo algo que los demás, años después, repetirían con la misma sonrisa de asombro: "Me echó al diablo con los ojos". En el techo de la taberna, impasible, el abanico soplaba con hipnótica cadencia.

ANTES DE NOÉ

Un día se olvidó de prepararle el desayuno. La encontró junto a media docena de naranjas recién lavadas, ella inmersa en las páginas de ese libro que temblaba en sus manos, y no importa, mi vida, tomaré una taza de café frío. El de ayer.

—¿Es *Moby Dick*? —debió preguntar cuando ella colocaba el separador entre las páginas.

—Sí. La ballena que endemonió al loco Ahab… Una *Physeter catodon* como nunca veremos. Es decir, un cachalote.

El ingeniero Santoscoy deglutió aquel trago amargado por la noche. Hubiera mejorado con un poco de azúcar, pero la junta en el despacho apremiaba.

—¿No lo habías leído ya el mes pasado?

La mujer de Gregorio Santoscoy asintió en silencio. Ciñó los bordes de su bata. Asomó la vista a través de la ventana.

—Parece que lloverá —dijo—. ¿No sería mejor que llevaras la gabardina?

—Tú sabes lo mucho que me gusta mojarme. Mojarme de noche.

Gabriela permaneció abstraída con aquellas nubes evolucionando desde la sierra. Odiaba la vulgaridad de su marido. Nubes que eran grises, azuladas y con ribetes púrpuras. Avanzaban en oleadas, igual que un océano invertido a punto de desplomarse…

La puerta cerrándose la devolvió a esas naranjas abandonadas en mitad de la mesa. Ya sabría el Cielo perdonarle sus distracciones; por lo pronto prepararía la cafetera. Suficiente para dos tazas.

Al nacer, el ballenato de la *Physeter catodon* pesa más de 800 kilos. Pertenece a una de las 78 especies de cetáceos que exploran los océanos, desde que una vaca imprudente… algo parecido a una vaca 50 millones de años atrás, se animó a adentrarse en las aguas de los mares primigenios. Y le gustó. Con el tiempo cambió de cola, convirtió en aletas sus patas y desde luego aprendió a nadar con holgura. Tanta, que ahora los nietos de aquellos ungulados primitivos —ballenas, marsopas y delfines— pueden darse el lujo de aguantar la respiración hasta por veinte minutos bajo el agua. La mujer de Santoscoy partió un par de naranjas y alineó los hemisferios, uno por uno, frente al exprimidor. No era la primera ocasión en que mandaba a su marido a la oficina sin desayunar. Alzó la vista y corroboró la fecha en el calendario, viernes 11, y ahí encima el salto de ese hermoso ejemplar de *Orcinus orca*, —en rigurosa etiqueta, la mitad blanco, la mitad negro, como un arlequín desollador— y fotografiado seguramente frente a la costa de la Columbia Británica.

—Mojarse de noche —repitió ella antes de soltar el suspiro. Su hermana Clara, al menos, no sufría por esa clase de acosos.

Se santiguó instintivamente y dio un último sorbo al tazón de café. Iba a ser un día agitado, a pesar de la amenaza de lluvia, y había que comenzar por lo primero. Observó la estampa que adornaba el recipiente de acrílico que alguien le había regalado como *souvenir*: una ballena azul fotografiada bajo el agua y la ficha científica al pie del cacharro. ¿Cuándo le había nacido esa afición tan peculiar?

Primero adquirió una postal islandesa en una tienda de antigüedades; una imagen que se remontaba a 1951 y que mostraba el acoso de un barco ballenero fotografiado desde la cubierta. Luego se hizo de una ballena morada de peluche. Más tarde inició la colección filatélica con motivos balleneros, y lo demás (las enciclopedias y los afiches) fue ya consecuencia natural. Ahora tenía ballenas de todo tipo y de todos los materiales: de neopreno y de cerámica, de madera labrada y de *pweter* aunque nunca, ni una sola vez en la vida, había mirado una que no fuera en los consabidos reportajes de la televisión cultural.

El matrimonio no era lo que había imaginado. O tal vez sí, pero más que imaginado, temido. ¿No podía ser su alianza una amistad permanente? ¿Por qué esa obcecación viril que daba al traste con la mejor de las ilusiones? ¿Se había equivocado al imaginar que el quererse entre dos iba a ser la manera más práctica de la santidad? ¿Desde cuándo vivía en el engaño? La ballena yubarta, por ejemplo, llega a vivir cincuenta años acompañada por su pareja… Qué dicha, imaginaba, nadar toda la vida en silencio uno al lado del otro.

—"Amistad permanente" —repitió al depositar todo aquello en la tarja de lavado.

Al salir de casa, más tarde, se desató el temporal. Debió cazar un taxi, el primero que tuvo a la mano, y así se dirigió al dispensario donde colaboraba dos veces por semana. Ancianos que ingresan para salir sin la muela podrida, mujeres desamparadas que acuden para corroborar la sospecha del embarazo, niños de la calle que por fin se animan a tratarse de un evidente cuadro anémico. Pobreza y enfermedad como una síntesis de oprobio.

Sin haber apenas comido, y bajo la misma lluvia pertinaz, se trasladó a cumplir con la compra semanal. Cereal tostado, legumbres, tocino, detergente, leche pasteurizada, un escobillón para vasos y dos franelas de oferta. Volvió a casa con las primeras sombras de la tarde y decidió ducharse de nueva cuenta. Que el agua se llevara los contratiempos del día. Se había olvidado, por cierto, de que era viernes.

Gregorio Santoscoy llegó cerca de la medianoche, luego de telefonear desde el bar donde ya terminaba esa ronda con los amigos de oficina. Había bebido de más y Gabriela no pudo evitar el embate. "Noche mojada", había amenazado el ingeniero, y se salió con la suya.

La despertó una voz. Algo que supuso una voz. Era media madrugada y se deslizó descalza hasta la cocina, donde apuró un vaso de agua. El frescor del líquido le erizó la piel. Llevaba solamente las pantaletas y se cruzó de brazos. ¿Había estado soñando? ¿Pertenecía esa voz al sueño o había sido una voz exterior? De pronto sintió renovarse el escalofrío. ¿Y las noches? ¿Cómo pasará una ballena las noches todas de su existencia? Ella, al menos…

"Te estoy esperando".

Era, nuevamente, la voz. Gabriela se sintió, como nunca, avergonzada por su desnudez ambulante.

En el desayuno, al día siguiente, estuvo a punto de contárselo a su marido, pero Gregorio estaba sonriente, lenguaraz, satisfecho. Canturreaba las canciones italianas que había aprendido en el coro juvenil. ¿Y qué decirle, "alguien me llama mientras duermo"? Pensará que estás perdiendo la razón. Dirá que la falta de hijos es causa de tus alucinaciones, y no, ¿cómo decirle que la tía Eloísa fue estéril de toda la vida, y la tía Loreto y la tía Nora? *"…e tu dice: io parto, adio, da esta terra de l'amore, torna a Sorrento…"*

—Voy a visitar a mi hermana Clara.

—Santa María, Madre de Dios… —el ingeniero Santoscoy escondió la mirada tras la plana del periódico—. Pídele que rece por nuestros excesos.

—Ya sabes que solamente los sábados le permiten recibir visitas.

Tal vez conversando con ella, si surgía la oportunidad, podría comentarle lo de la voz. "Te estoy esperando", pero quién y dónde. Esperándome para qué.

—Tenemos la cena con los Fernández, no se te vaya a olvidar.

—Regreso temprano, no te apures. A las cinco cierran la sala de visitaciones —se mordió una uña, ¿olvidaba algo?—. Voy a llevarle una gelatina, ya ves cómo es antojadiza.

—Mujer… mujer. ¿Se te olvida que a tu hermana la he visto una sola vez en la vida? Ni a la boda le permitieron salir del convento.

—Clara es mi única hermana, y ella sí…

—Ella sí qué —Gregorio bajó el periódico para encararla.

—Ella sí vive en comunión.

El ingeniero Santoscoy le devolvió un gesto confuso. "¿De qué me estás hablando?" Empujó en silencio la taza vacía de café. Que mejor le sirviera otro chorrito en vez de andarse con tantas chifladuras.

La temporada de lluvias se había aposentado del todo. Llovía sorpresivamente a medianoche y amanecía un cielo límpido. Luego, al mediodía, nuevamente rodaban las nubes desde la sierra y en cosa de minutos el chubasco se apoderaba de la ciudad. Una batalla de granizo que, media hora después, derivaba nuevamente en el bochorno irrespirable de agosto. Así fue la tarde aquélla en el dispensario. Gabriela hacía servicio en la recepción del sanatorio parroquial cuando llegó un paciente por demás curioso. La madre del muchacho explicó que su hijo era en extremo distraído, que difícilmente respondía a sus llamados y en la escuela resultaba un desastre. No lograba concentrarse en nada… nada más que no fuera su manía.

—¿Su manía?

—Es como su vicio —lo disculpó la madre al señalarlo—. ¿Si tienen aquí un psicólogo o algo, verdad?

Gabriela observó al mozalbete sentado en una de las sillas contiguas. El jovencito miraba los muros y las ventanas del recinto como si fuera un inspector municipal. De pronto abandonó el asiento y fue hacia el anaquel donde se guardaba el material de primeros auxilios. Sin apenas detenerse hizo un rápido movimiento, una mano que rozaba el mueble, y se la llevó al bolsillo del pantalón.

—Hay veces que le he contado más de cien.

—¿Cien qué?

—Moscas, señorita. ¿No se fijó? Se pasa el día cazándolas.

La mujer de Santoscoy estuvo a punto de soltar la risotada, pero el muchacho, sentado nuevamente en la butaca plastificada, ya recomenzaba con su acechanza.

—Debe ser cosa de un psicólogo —la madre se preocupó en pronunciar nuevamente el "ps" del prefijo—. Eso de su manía.

—Vamos a ver —Gabriela dejó el escritorio y fue por el muchacho. Les ofreció un gesto para que la acompañaran.

Llegaron al consultorio del fondo, donde se escuchaba el terrífico zumbido de una barrena odontológica.

—Aquí se quedan con el doctor Efraín —hizo un guiño de complicidad al despedirse—. Háblenle fuerte; es medio sordo.

Regresó temprano a casa. Gregorio, como era su costumbre, no iría a comer esa tarde. Preparó una ensalada de betabeles y frió una milanesa. En ocasiones su vecina del 201, Mara Sofía, se animaba a llamar a la puerta. Que si se acompañaban a comer, que había preparado una ensalada de salmón, que tenía un vinito alemán en la hielera. Pero como era divorciada, a Gregorio no le simpatizaba nada. Buscó la mostaza, para aliñar aquello, y abrió el refrigerador adornado con una docena de figuras magnéticas. La mayoría tenían motivos balleneros. Un cachalote combatiendo contra un calamar gigante, la ballena feliz de la pescadería del barrio, un narval marfilíneo con un soneto de Pablo Neruda. Se depositó en la mesita de la cocina y comenzó a manipular la dulla del envase. Al concluir el trazo se percató de que había dibujado sobre la milanesa, una vez más, el contorno de una ballena. Con todo y su chorrito de vapor. Suspiró de súbito y la exhalación derivó en estremecimiento. ¿Ésa iba a ser siempre su vida? Añorar ballenas, atender deshauciados, temer coitos. Una mosca pasó, rondó el plato, se detuvo en la ventana que miraba hacia el Paseo del Río.

La mosca parecía desafiarla bailoteando en el cristal de la ventana cuando de pronto una lágrima escapó de su ojo izquierdo. Había recordado al muchacho maniático y su mirada perdida que no buscaba más que infames dípteros. Finalmente ese niño sabía lo que deseaba... y deseaba lo poco que sabía del mundo. Cazar moscar y guardárselas en el bolsillo. Qué cosa más simple.

Dejó la mesa minutos después, minutos en que fue humillada por la errancia insultante del insecto a todo lo ancho de la ventana. Rebuscó en la alacena y por fin dio con el matamoscas. Ahí junto, en la repisa, estaba el aparato de radio. Lo encendió. Las noticias eran un modo de distracción a la mano.

Pero la mosca había reemprendido el vuelo. Que el municipio iba a adquirir un equipo especial, de más de 30 millones de pesos, para desazolvar el sistema de alcantarillado. La mosca y su retador zumbido adentrándose en el departamento. Que este año la cosecha de sorgo en el valle de Victoria impondría un récord, más de 500 mil toneladas, según estimaciones de la Secretaría de Agricultura. La mosca que pasó frente a su cara, en un lance de absoluta insolencia, mientras la milanesa se enfriaba en la pequeña mesa. Que esta misma madrugada una ballena había varado en playa Adelaida y los especialistas del Instituto Tecnológico no hallaban el modo de rescatarla.

La voz vino de su interior en esta ocasión.

Soltó el matamoscas y fue al armario donde su marido guardaba todo tipo de folletos. Encontró el mapa estatal y lo desdobló. Se arrojó sobre la cama y con aquel plano desplegado localizó la famosa playa Adelaida. Se dio unos segundos para organizarlo todo. Aventó la falda y se puso los *jeans* de paseo, metió dos mudas de ropa en el maletín, una pañoleta y el cepillo de dientes. Destapó el frasco donde resguardaban el dinero para los imprevistos y lo metió todo en el bolso lateral del maletín. Salió corriendo y aventó la puerta sin echar el cerrojo.

Existía el peligro de perder la estación del ferrocarril. No que su proyecto fuera inmejorable, sino que la constructora Lakeside había sugerido cambiar el techo de los andenes con estructuras de aluminio y acrílico, lo que la haría más cara, sí, pero más lucidora. El despacho de Gregorio Santoscoy había propuesto un diseño más conservador: armazón de hierro y techo en perfil aserrado, como las de muchísimas fábricas, que lo haría más sólido y ventilado. Era el proyecto con el que podrían sobrevivir lo que restaba del año, el mismo que le quitaba el sueño. Por eso reencontrarse con los ojos de Gabriela en casa era el mejor remanso para las rutinas. Y si ella lograba olvidarse de sus compunciones…

Lo que primero le llamó la atención fue la radio encendida. En ocasiones su mujer se hacía acompañar con algo de música, un *jazz* ligero, la alegría refinada de Mozart, alguna balada de moda. La frecuencia, sin embargo, sintonizaba una entrevista con el entrenador del equipo Rayados. Lo primero que hizo fue apagar el aparato.

—¿Gabi? —preguntó a media voz y se extrañó al descubrir ahí mismo, en la mesita, media milanesa con la cola amarilla de un pez.

"Seguramente se está dando un baño", supuso, y levantó el matamoscas tirado bajo la estufa. Abrió la nevera y sacó una cerveza de lata. El chisguete espumoso fue como un aplauso de recepción. A través de la ventana miró el discurrir de autos junto al Paseo del Río. Cientos, tal vez miles de otros Gregorios Santoscoy llegando a casa para encontrarse con otras miles de Gabrielas, y tal vez, un beso de bienvenida.

—¿Gabi?

Su mujer odiaba que él se introdujera al baño mientras se duchaba. A punto de llegar a la alcoba descubrió ahí tirada, como un cadáver, la falda de Gabriela. El ingeniero Santoscoy ingresó abruptamente a la recámara y se extrañó, ¿se extrañó?, de encontrar la cama arreglada. Alzó el cubrecama y corroboró la presencia de las dos pijamas. Aquello era confuso y, más que confuso, misterioso.

Llamó por teléfono al dispensario parroquial donde el encargado le informó que el servicio concluía a las ocho de la noche. Que no había nadie y que si insistía podría hablar con el padre Emeterio.

—No, no hace falta. Muchas gracias.

Tal vez había bajado al centro comercial para traerle una sorpresa. Una pizza de anchoas, un *strudel* de la Casa Viena, el último disco de Joan Baez.

Se recostó en la cama a esperar. Descansó un brazo en el rostro, amortiguando la luz ambiental, y volvió a las disquicisiones ingenieriles: ¿el hierro o el aluminio?

Lo despertó la mosca. El insecto se había posado en su nariz y Gregorio casi la traga al enderezarse sobresaltado. Miró su reloj y gritó preguntando:

—¿Gabriela?

Iban a dar las once de la noche y no había telefoneado. Tal vez dejó por ahí un nota, pensó, y procedió a indagar. Lo que descubrió, al entrar al baño, fue la ausencia de su cepillo de dientes. No había recado alguno y tampoco estaban sus zapatos tenis. Cuando descubrió el frasco del dinero arrojado sobre el tapete ya no resistió más. Salió del departamento y fue hasta la puerta del 201, que tocó nerviosamente.

—Qué hay, vecino —era Mara Sofía, la divorciada, a través de la mirilla—. Ahora te abro.

Gregorio Santoscoy lanzó una mirada escrutadora dentro de la vivienda.

—Estoy buscando a Gabriela —dijo como disculpándose, y creyó prudente explicar: —No está en casa.

—Eso supongo, pero pásale vecino. Apenas iba a merendar.

—¿No interrumpo?

Mara Sofía iba descalza y vestía un conjunto ligero de ropa deportiva.

—Precisamente me estaba preparando un *jaibol*. Que supongo ahora serán dos. ¿Ya hablaste al dispensario?

El ingeniero Santoscoy asintió en silencio. Luego quedó inmovilizado en mitad de la estancia. Una de las paredes estaba tapizada con retratos de esa mujer. Mara Sofía al cumplir diez años, Mara Sofía al recibirse en el bachillerato, Mara Sofía teñida de rubia el día de su boda. La mayor parte eran fotografías de estudio, aunque también había algunos retratos al pastel.

—No vayas a creer que soy una vanidosa —advirtió ella desde la cocina—. Lo que sucede es que si los guardo se llenan de hongos. Por la humedad. El que más me gusta es donde salgo de princesa de Carnaval. A la izquierda, arriba. Fue en Orizaba en 1979. Quedé en segundo lugar porque la que salió reina ya se había… a varios del jurado. ¿Te gustan los *nugetts* de pollo?

—Sí —Santoscoy dejó la estancia y descansó en una de las sillas del comedor—. Encontré varias cosas suyas tiradas. La falda, sus zapatos. Como si hubiera salido volando. ¿No sabes si tenía cena con… sus amigas de generación?

—Normalmente son desayunos, ¿no, vecino? De seguro fue a la oferta del *JC Penny*, hoy y mañana todo el día en "rebaja sobre rebaja". Tendrán abierto hasta las doce.

—¿Será? —Gregorio respiró aliviado.

—Por eso mismo me divorcié yo —dijo ella al reingresar con los vasos de whisky—, si cada cual hace su vida, la relación ya no tiene sentido. Digo, no debe ser.

Gregorio aceptó el *jaibol* en silencio. Observó que el cierre de aquella chamarra había descendido un tercio.

—¿Es la de verano? —preguntó.

Mara Sofía se revisó el conjunto, sonrió confundida.

—La oferta que dijiste. ¿Es la de verano?

—Ah, no. Es por el aniversario del *JC*. Allá debe andar nuestra Santa Gabriela. No te preocupes… dónde más.

—Sí, dónde más.

Apuraron los whiskys en silencio y minutos después, alzándose bruscamente, Gregorio dijo al revisar su reloj pulsera:

—Ya debe haber regresado. Ahora ella estará preguntando por mí —sonrió—. Ya me voy. Muchas gracias, vecina.

—Mara So —deletreó con un guiño—. Para los amigos soy *Mara So*.

Santoscoy alzó la mano en retirada. Llegó a la puerta, abrió el picaporte y llamó entrando:

—¿Gabriela? ¿Ya llegaste? —y cómo explicarle ese whisky con la vecina. Descubrió a la mosca, nadando en el platón de los betabeles, como en el paraíso del Génesis.

—¿Gabriela?

Nada. La casa seguía tal cual y estaba a punto de cumplirse la medianoche. Gregorio buscó un cigarrillo pero entonces recordó que hacía dos años que no fumaba. No le quedaba más remedio. Llamaría a su suegra. Tal vez allí, así que buscó la agenda de las ballenas bufando en el Ártico. Se la había comprado a Gabriela en Nueva Orleans, aquel Congreso Internacional de Ingeniería Intermedia... Lo de las putas de minifaldas espejeantes, en la última noche, fue iniciativa del ingeniero Ramos.

—Buenas noches, suegra... ¿Cómo le va?

—Bien, a punto de dormir, hasta que se le ocurrió llamarme. ¿Pasa algo?

—Lo que sucede es que... aquí en mi calendario, la tengo anotada. Hoy es su cumpleaños, ¿no?

—No.

—Yo pensé.

—Es el once de abril, para la otra. ¿Podría hablar con Gabriela?

Ya tenía la respuesta.

—No creo. Ya está en la cama, déjeme ver —se dio un lapso y luego, a media voz—. Creo que ya se durmió.

—Bueno, que me llame mañana.

Se despidieron con monosílabos.

Lo que seguía era llamar a la policía; o esperar un poco más. ¿Media hora? Llamar a la Cruz Roja, a los servicios de rescate... al forense. Llamarle, ahora sí, al padre Emeterio, que era su confesor desde años atrás. "Padre, ¿usted le sabe algo?, y no me venga con esa idiotez del secreto de confesión. ¡Le estoy hablando de hombre a hombre!"

Pensó en retornar con su vecina, Mara Sofía, por un segundo whisky. Hablar con ella, descubrir los misteriosos recovecos del alma femenina. ¿No la estaría escondiendo en su recámara? ¿Pero escondiéndose por qué? Si se trataba de una broma, ya se había pasado de la raya.

Entonces pensó lo peor. Un infarto, una embolia, una apendicitis. Ella habría volado en un taxi. Se habría sentido mal y ahora estaría agonizando en la plancha de un quirófano. ¿Por qué no avisó? Un cadáver anónimo para la morgue. ¿Dónde estaban los teléfonos de los hospitales que cubría el seguro médico?

Regresó a la alcoba. ¿En cuál de los cajones? ¿Y si había perdido el conocimiento a bordo del taxi? ¿Por qué no se comunicaban ya los secuestradores? Encendió instintivamente el aparato televisor. Necesitaba un poco de ruido, alguien que lo acompañara en ese trance de angustia. Llamaría a Mara So para que...

El locutor del noticiario de medianoche acababa de referir el asesinato de Pier Paolo

Pasolini en el puerto de Ostia, y ahora les presentaré, dijo, un reportaje de la ballena que esta mañana quedó varada en playa Adelaida y de los esfuerzos que se hacen para poder rescatarla.

Ahí estaban las imágenes, bastante defectuosas, de la ballena que coleteaba cansinamente en ese perdido balneario…

El autobús paró cuatro veces antes de llegar a su destino. En el último tramo Gabriela debió contratar los servicios de un taxi. La mujer trató de dormitar en el asiento trasero luego del abrupto traslado en aquel ómnibus de segunda. La madrugada había refrescado y se embozó con el cuello de la chamarra.

—Va a lo de la ballena —farfulló el conductor. Una afirmación que era, necesariamente, una pregunta.

—Sí —musitó ella—. A ver qué podemos hacer por rescatarla.

Dos minutos después, con la tranquilidad que da la vida a la intemperie, el taxista soltó un comentario:

—Va a estar difícil.

—Difícil… ¿por qué?

El conductor trató de mirarla a través del espejo retrovisor, pero la penumbra del amanecer apenas le ofrecía una silueta ensombrecida.

—Esos monstruos llegan como asustados. Parecieran querer salirse corriendo del mar…

pero se quedan allí atascados. Usan la playa como moridero. Yo los he visto.

Gabriela de Santoscoy prefirió pasar por alto sus palabras. Ella sabía, mejor que nadie, las famosas "siete tesis" de los varamientos de cetáceos que había publicado la Comisión Ballenera Internacional. El primero de ellos, ciertamente, era el "pánico de estampida" que se ocasionaba al desaparecer abruptamente el líder del grupo. La segunda tesis eran los parásitos que anidan en el aparato auditivo de las ballenas, estropeándoles el sistema de eco-navegación. La tercera...

—Aquí mero es.

Gabriela despertó y una sensación de arena en los ojos acompañó su primer reconocimiento.

—Hace rato que llegamos —el taxista volteó apoyando un brazo en el respaldo—. Y discúlpeme, señorita, pero como la vi tan deliciosa en sus sueños no me nació despertarla. Hasta parecía una santa de iglesia.

La mujer de Santoscoy pagó el servicio en silencio. Bajó del auto y no pudo resistir desperezarse a todo lo largo. Ya había amanecido y el aroma salobre le anunció la proximidad del mar. El caserío de Playa Adelaida funcionaba como apoyo turístico para los bañistas de fin de semana. Sólo que ese día era jueves.

Gabriela avanzó por aquel camino de grava y muy pronto reconoció en la distancia al grupo que rodeaba el varamiento. Había dos fogatas y varias balsas inflables rodeando a la ballena. Medio centenar de personas, entre curiosos, periodistas y gringos se concentraban en ese punto del litoral. Algunos cargaban cámaras fotográficas, visores de buceo.

Por fin la primer ballena de su vida. El cetáceo estaba encallado precisamente en la línea de la rompiente. Apenas mirarlo, Gabriela lo identificó:

—Es un *Globicephala macrorhynchus*.

—*Un* no; una —la corrigió uno de los rescatistas en bermudas y con una camiseta de *Greenpeace*.

—¿Una hembra de calderón tropical? —quiso confirmar ella.

—Sí, pero está a punto de agonizar —explicó el muchacho, que portaba un radio de intercomunicación—. Han sido demasiadas horas soportando su propio peso en la resaca; por eso vamos a intentar un arrastre hacia mar abierto.

El muchacho se la quedó mirando, como reconociéndola.

—¿Del Tecnológico de Ensenada? —se animó a indagar.

—No, no.

—¿De la UNAM?

—No, tampoco… Una simple aficionada —y ni modo de referirle la docena de adornos magnéticos en su refrigerador que eran como su diploma de posgrado—. Quisiera ayudar, si se puede.

—Toda ayuda es bienvenida —sonrió el muchacho—. Sobre todo porque la mitad andamos bien resfriados.

Hasta entonces se percató de que la ropa del muchacho estaba empapada.

—Pero lo que más nos preocupa es el cachorro —y como Gabriela puso ojos de extrañeza, él insistió:

—Desde aquí no se puede ver —la asió del antebrazo para conducirla hasta el otro lado del varamiento, donde lograron mirar al ballenato—. El pobrecito debe tener una semana de nacido, y no se le suelta.

En medio de la marejada el pequeño cetáceo hacía esfuerzos por no separarse de su madre. Varios de los rescatistas les arrojaban cubetadas en el lomo, ahora que el sol comenzaba a apretar.

—Y la madre como que se olvidó de la criatura. A ratos casi lo aplasta empujada por las olas. Por eso la queremos sacar de la batiente. Que la locura no termine por aniquilarla.

Gabriela se repitió esas palabras, pero en eso un rumor mecánico los distrajo. Todos voltearon al sur, donde un par de barcazas se aproximaba a todo motor.

—Ya vienen para el rescate —explicó el muchacho *Greenpeace*—. Son de la cooperativa de Soto la Marina. Perderán un día de faena con tal de salvar a estos engendros de terquedad.

La maniobra ocupó cerca de tres horas. Lo primero que practicaron fue el adormecimiento del cetáceo. Cinco hipodérmicas de ganado, suficientes para anestesiar a los caballos de una cuadra. Luego, con cuerdas de todo tipo, los rescatistas más intrépidos lograron ceñir la cauda del animal. Gabriela abordó una de las balsas inflables, que tenía motor fuera de borda, y así todos, cerca del mediodía, iniciaron la operación de arrastre.

Al principio aquello pareció inútil. Las dos traineras y las balsas inflables, en sus costados, aceleraban a todo motor tirando de la soga que sujetaba la cola del *Globicephala*. El muchacho naturista, que parecía dirigir la maniobra, alzó los brazos para detener el operativo.

—¡Se está lastimando la cola! —gritó—. Hay que esperar la séptima, y con ella nos arrancamos.

—¿La séptima? —inquirió Gabriela al sufrir los primeros embates del oleaje.

—La séptima ola —explicó el hombre que piloteaba la embarcación—. La séptima siempre es brazo de marea —y llevó la vista a la barcaza donde *Greenpeace* levantaba la mano para guiar la maniobra.

Una veintena de personas, en la playa, aguardaban la misma señal. Por fin llegó el esperado tumbo y el guía bajó de golpe la mano. Los botes aceleraron todos a un tiempo, tensando la soga principal, mientras en la playa los de a pie empujaban al enorme cetáceo tratando de liberarlo. Y por fin, cuando la bajamar iniciaba, el calderón se dejaba arrastrar en retirada, sumergiéndose en las ondonadas de mayor calado.

Todos comenzaron a gritar alborozados. "¡Júuua!" "¡Yeees!" "¡Pudimos!"

Aquello se convirtió en una fiesta ecológica. El cachorro seguía instintivamente a su madre, nadando hacia la seguridad del océano, y lanzaba pequeños berridos de satisfacción. El arrastre duró varios minutos más, con los motores a media marcha, y se detuvo cuando observaron que el calderón tropical respiraba con normalidad. La algarabía en la playa era un remoto tremolar de pañuelos blancos cuando *Greenpeace* indicó a sus buzos que se lanzaran para desatar al cetáceo.

—Creí que no viviría para mirar esto —dijo el piloto de la balsa, y entonces Gabriela de Santoscoy creyó escuchar, de nueva cuenta, la voz.

Era una maravilla presenciar el retorno de esa ballena a su vagabundeo milenario. En los aprestos de la liberación, Gabriela sintió obediencia al llamado.

—¿Podemos acercarnos?

El piloto de la balsa, al principio, creyó no entenderla. "Sí", gesticulaba ella con una mano, que acercara el bote al portentoso animal, que permanecía allí resoplando y como a la espera. Que le permitiera tocarlo por única vez.

"Te estoy esperando."

El piloto, moreno renegrido, obedeció de mal grado. Giró la cabeza del motor y con el acelerador en ralentí emprendió lentamente la maniobra, ahora que el monstruo estaba a punto de ser desatado por los buzos.

—Un poco más —suplicó ella con el brazo extendido, al fallar ese primer intento.

Por fin hubo un punto en que estuvieron cerca como nunca. Una ballena y ella, Gabriela de Santoscoy, que llevó la mano hasta tocarla. Hubo entonces una luz, una como luz y todo se detuvo. Cesó el ruido, enmudeció el oleaje, se apagaron los motores. Una luz y la mano de ella tocando esa bestia mullida, áspera, fresca. Sintió su corazón latiendo con desmesura, ese resplandor apoderándose del lugar. Y la voz. A doce pasos del bote, con una dulzura como nunca, insistiéndole:

"Te estoy esperando."

Gabriela volteó, temerosa de mirarlo, porque sabía desde siempre y desde aquella madrugada semidesnuda en la cocina, que era él. Abrió los ojos, es decir, los abrió interiormente porque entendía que era necesario para mirarlo, reconocerse y obedecerlo. Jesucristo con su túnica escarlata que sobre las aguas le anunciaba al extender las manos: "Te estoy esperando".

Obedeció guiada por la luz. A él se debía y él se debía a ella. "Señor mío", dijo al dar el primer paso.

Luego vino la oscuridad, el abrazo gélido, el remolino de burbujas, la asfixia. Se estaba ahogando en mitad del Golfo, ¡y cómo se le había ocurrido tal desmesura!, ella que no sabía nadar.

La rescató uno de los buzos de snorkel sujetándole el cuello con la flexión del antebrazo. El piloto de la balsa completó el rescate al jalarla por las axilas. Gabriela tosía perdiendo la respiración y escupía bocanadas de agua. "Qué horror, cuánta sal", fue lo primero que pensó, y apenas escuchó al piloto que la reprendía:

—Qué ocurrencias, señora; ya nos la espantó.

Pero nadie prestaba atención al incidente. Los tripulantes de las traineras, los pasajeros de ambas balsas y los curiosos de la playa miraban conmovidos ese nuevo arranque del *Globicephala macrorhynchus*. La ballena tropical que nadaba con frenesí buscando la reciedad de la playa, y que por segunda ocasión se varaba en el litoral, arrastrando a su pequeño cachorro que la obedecía con irracional ternura.

—Esa bestia está loca —advirtió el piloto de la balsa.

Las embarcaciones retornaron con lentitud y poco a poco, en la zona de rompiente, los rescatistas fueron descendiendo. Ahora la ballena había quedado más al norte y los expedicionarios reemprendían, presas del desconsuelo, la labor de salvamento. El calderón había encallado en sentido paralelo al oleaje, de modo que en cada embate rodaba hacia arriba y hacia abajo, y muy pronto terminó por aplastar al ballenato.

—Lo está matando la cabrona —comentó otro de los pescadores, y luego ya nadie dijo más.

El desánimo se apoderó de la comunidad… ilusos transgresores de las leyes de la naturaleza. Ya comenzaba el atardecer cuando las traineras iniciaron la travesía de retorno a sus fondeaderos. Gabriela estaba sentada en la playa, secándose con la brisa y dibujando extrañas figuras en la arena húmeda. Así llegó con ella el chico *Greenpeace*, quejándose:

—Es absurdo, absurdo —y debió insistir—. Absurdo.

—Es que nunca aprendí a nadar, y no pude resistir el…

—Yo hablo de ese monstruo ofuscado. ¿No te golpeó con el coletazo?

—Cuál coletazo; yo sólo…

El muchacho, que sería tres años menor que ella, pareció no escucharla. Abrió la mochila y sacó una cámara Polaroid, luego tiró de la lengüeta y extrajo la última impresión del rollo.

—Te tomé una foto desde el lanchón, poco antes de tu accidente… Llévatela.

Gabriela miró las imágenes que aparecían como por arte de magia en el recuadro; ella adelantando un pie sobre las turbulentas aguas del Golfo como si tratara de cruzar un puente inexistente.

—¿Y quién es este recio chamaquito; digo, si se puede saber?

Era el ingeniero Gregorio Santoscoy. Se presentaba con el rostro sin rasurar y la ropa de la víspera. Cargaba aún el mapa de carreteras.

Había manejado de madrugada, aventando en el asiento contiguo el plano desplegado, una linterna, su revólver y la gabardina. En Linares, vencido por el sueño, estuvo a punto de salir del camino.

—No sé —respondió Gabriela—. ¿Cómo te llamas?

—Neftalí, Neftalí Pereda, para servirles.

—De modo que desapareces de casa, vienes a la playa dizque a rescatar ballenas, te pasas la noche en quién sabe qué y te encuentro aquí toda empapada, ¿y encima no sabes cómo se llama este campeón de los mares?

—Te debo una explicación, Gregorio.

—Eso creo…

—Pero por favor no vayas a decir que me estoy volviendo loca.

—No estoy diciendo nada —el ingeniero Santoscoy hacía esfuerzos por contenerse—. Manejé diez horas —exageró— para escucharte.

Gabriela quedó como muda. Había reconocido, en la instantánea Polaroid, a Jesucristo llamándola sobre las aguas.

—Mira, ¿te parece poco? —le entregó la fotografía. Que constatara de una vez la magnitud de su llamado.

—¿Usted fue el que la empujó?

Greenpeace alzó los hombros para obviar la ridiculez de la situación:

—Yo fui el que tomó la foto —mostró la máquina Polaroid—. Y ahora, si me permiten, debo reiniciar el salvamento de nuestra moribunda ballena.

En lo que el muchacho se retiraba, Gregorio volvió a revisar la impresión. Esa pequeña veladura frente a su mujer abandonando la balsa.

—Lo único que esto explica —agitó la instantánea en el aire—, es que si no logras curarte esa maldita esterilidad, vas a terminar en el manicomio. Perdón; vamos.

—¿No lo ves? —Gabriela le arrebató la foto.

—Yo lo único que veo es que mi mujercita necesita cambiar de ginecólogo. Salir de vacaciones, quitarte las tensiones domésticas, renunciar a ese dispensario lleno de alcahuetas. ¿No ha llegado demasiado lejos tu obsesión por las ballenas?

—¿Pero es que no lo ves? —volvió a mostrarle la fotografía.

—¿No veo qué? ¿No veo a quién?

Gabriela tuvo una revelación. "¡Me está hablando a mí! ¡A mí y solamente a mí!"

—¿No lo ves, Gregorio? Mi vida es un desperdicio. Tengo que obedecer a la voz.

—¿La voz? —el ingeniero Santoscoy no quiso averiguar más. Avanzó junto a ella y la envolvió con un abrazo—. Vámonos al coche. Tienes que secarte. Hay que regresar…

Pero Gabriela sintió nuevamente esa gelidez empapándola de nuevo.

—No me toques, Gregorio.

—Que no qué —su mujer trepidaba con los brazos cruzados.

—Por lo que más quieras, Gregorio. No me toques, no me toques…

Antes de partir almorzaron en una fonda del caserío. Gabriela, que ya comenzaba a estornudar, pidió un chocolate caliente. Durante una semana el resfriado sería el recuerdo más visible de esa, "la aventura de su vida", reiría luego Santoscoy en el despacho. El resfriado y, desde luego, la fotografía Polaroid. Gregorio pidió un café doble para aguantar la noche que le esperaba tras el volante. Al pagar, junto al mostrador, descubrió a un viejo enclenque con una maltratada gorra de policía. El vejete bebía una poción misteriosa y de pronto, cuando Gregorio pagaba el consumo, pareció reconocerlo. Alzó un dedo admonitorio:

—Me echó con los ojos al diablo —le advirtió.

Gregorio sintió el impulso de regalarle algunas monedas. Un billete. La vida luego da vueltas y ese anciano chiflado, al paso de los años, puede ser nuestro retrato.

El pobre diablo estuvo a punto de caer del banquito donde murmuraba disparates.

—No empujen, no empujen… —rió luego de recuperar el equilibrio, y guiñándole un ojo a Santoscoy, soltó el tiro de un arma invisible:

—¡Pum!… el diablo, el meritito diablo en sus ojos.

La noticia aguantó dos días más en la prensa. La tarde misma del jueves la ballena había muerto en playa Adelaida. El cuerpo del ballenato fue trasladado en un Torton de diez toneladas a la escuela de veterinaria del Instituto Tecnológico, pero al segundo día se decidió interrumpir la autopsia y, derrotados por el hedor, los albéitares decidieron incinerarlo en mitad del campo de futbol.

Gabriela también, una tarde en que volvía del dispensario, resolvió terminar con su obsesivo *hobby*. Juntó los seis volúmenes de la Enciclopedia Salvat de los Grandes Mamíferos del Mar, todos los carteles que relucían en la sala de televisión, los adornos magnéticos del refrigerador, el *Moby Dick* ilustrado, las reproducciones en madera y hasta la entrañable ballena de peluche morada. Todo en media hora, dentro del hueco de la chimenea, fue reducido a cenizas. Solamente conservó, por cosas de la nostalgia, aquella postal islandesa de 1951. La atesoró en la carpeta donde resguardaba su acta de matrimonio y la bendición autógrafa del Papa Juan XXIII.

"Todo, ya", se dijo, "que acabe el delirio".

Por recomendación de su marido había comenzado a visitar al psicoanalista. Y todo por la famosa fotografía Polaroid en playa Adelaida. Una discusión infinita. Nadie más que ella misma reconocía en esa veladura la imagen de Jesucristo llamándola.

Un día la discusión se hizo insoportable.

—Lo que sucede, Gregorio, es que tú no tienes fe.

—Fe sí tengo —se defendió lanzando un puñetazo a la mesa—. Tengo fe en recuperarte, en que regreses a dormir a la cama conmigo, en que abandones tus alucinaciones… ¡Maldita ballena que se llevó lo mejor de ti! —y fue cuando decidieron, por mutuo acuerdo, lo de las sesiones con el psiquiatra.

Lo que Gabriela nunca reveló, porque el misterio seguía envolviendo sus días, fue que logró una "dispensa audiencial" con su hermana Clara. De ese modo y en disimulo, después de la cita con el doctor Campero, llegaba al convento de las monjas carmelitas para una visita de media hora, que era el término de la dispensa.

Era la oportunidad de reconciliarse con el pasado. Recordar juntas al padre que las llevaba al circo y al bosque, rememorar a las compañeras de escuela, la rata que un día se escondió bajo el horno de la cocina. Reconstruir una casa y una familia derruidas por los continuos infortunios. Su padre había muerto por un cáncer repentino y su madre estaba recluida en una residencia de enfermos de demencia senil. Decidieron internarla el día que la descubrieron queriéndose comer una pantufla que había cocinado en la sartén.

Una tarde de ésas, compartiendo el té de manzanilla, su hermana Clara le dijo:

—No te imaginas la dicha que es renunciar a la dicha —se acomodó en la adusta banca metálica—. Es el modo más directo de entrar en comunión con Él.

Lo de la Polaroid, sin embargo, seguía siendo un secreto. Un secreto compartido entre ella y su marido. Gabriela que mirando la instantánea reconocía a Jesucristo y su túnica escarlata aquella tarde en las aguas del Golfo. Gregorio que insistía en lo de la veladura y, mirando con añoranza las mantas que permanecían en el sofá donde Gabriela pernoctaba, le devolvía la foto cabeceando con resignación.

Llegó el verano y Gregorio Santoscoy, una tarde, celebró la actitud reformada de su mujer. En el Canal Once estaban por pasar una película australiana, *Las ballenas siempre retornan*, con Paul Newman, pero Gabriela apenas si respondió:

—Otro día, gracias —porque prefería cocinar esas galletas de mantequilla que prometió llevar al dispensario.

Ahora su obsesión era hornear y obsequiar galletas. De todo tipo y de todas las formas. Galletas de anís, de almendra, de manteca, con forma de muñeco de nieve o de estrella. Galletas que envolvía en coquetos paquetes de celofán escarlata.

Una noche de septiembre en que preparaba la masa para un encargo creyó escuchar algo.

Se quedó como paralizada y con las manos embadurnadas. Era, nuevamente, la voz. Gabriela comenzó a temblar. Se negó a voltear pues ahí mismo, a sus espaldas, era Él quien la llamaba: "Te estoy esperando".

No le respondería, no por lo menos sola como estaba. Ya se lo había advertido el doctor Campero: "Anóteme todas sus ocurrencias y, si las llega a tener, también sus alucinaciones". Necesitaba estar con alguien, con *alguien* más y así, batiendo las manos para librarse de esa plasta, salió del departamento. Fue al 201 y dio tres toquidos.

—Ah, eres tú —confirmó Mara Sofía al abandonar la sonrisa. Estaba en camisón de dormir.

—Mara So —urgió la mujer de Santoscoy—. Necesito que me acompañes a la cocina.

—Qué, ¿se te quemó el arroz?... —y le ofreció un gesto de indisposición.

—No; lo que sucede... Quería invitarte unas galletas —y se chupeteó un dedo.

—Mejor déjame invitarte yo —y la condujo a la estancia donde tenía descorchada una botella de Chablis dentro de la hielera, además del disco de Frank Sinatra, *Strangers in the night,* cantando a media voz, *two lonely people, we were strangers in the night...*

—Yo preferiría un refresquito. Mara So —al contemplar esa vida, es decir, la posibilidad de una vida tan disipada, Gabriela debió advertirle—: Ya no bebo.

Mara Sofía buscó la bata que había arrojado sobre el respaldo del sofá.

—A ver si un día me dejas ver la foto esa —comentó mientras escanciaba el vino—. Ésa donde dices que se te apareció Diosito.

—No es Diosito —sintió la necesidad de precisar—. Es Jesús.

—Ah, perdón —y no pudo reprimir una sonrisa irónica que acompañó con el primer sorbo.

En eso, alguien llamó a la puerta.

Era Gregorio Santoscoy, alarmado porque halló el departamento abierto y la masa de las galletas, dijo, dispersa por toda la casa. Eso dijo.

Una semana después, de mañana, lo de la voz volvió a repetirse. Provenía del horno eléctrico. Mientras preparaba un *soufflé* con champiñones, quedó sin aliento al reconocerlo ahí dentro: Jesucristo en miniatura con su túnica escarlata y los brazos extendidos que volvía a requerirla: "Te estoy esperando, mujer". Luego terminó el cocimiento del *soufflé* y concluyó, igualmente, la aparición.

Ella también rompería con el pacto en la cita de ese jueves con el doctor Campero. Luego de acicalarse guardó consigo la foto Polaroid. El psicoanalista no tenía secretaria y recibía personalmente a sus pacientes. Esa tarde, casualmente, Gabriela fue su única visitante. Se recostó en el diván, apenas saludarlo, y pidió permiso de descalzarse. Era una tarde en extremo calurosa.

Después de la charla rutinaria vino la referencia a un episodio infantil, y de ahí pasó a las discusiones permanentes con su marido, "que es un obseso sexual", y luego saltó al comentario sobre el sueño recurrente. Gabriela se baña y de pronto algo se rompe en la cañería y la ducha sigue escurriendo y es imposible cerrar las llaves y siente ahogarse bajo ese chorro imparable que lleva horas, o días, de empaparla porque se está bañando vestida de negro, y así no podrá asistir al velorio de esa tarde... "¿al velorio de quién?"

—Nunca lo sé, doctor... Y oiga, qué calor hace, ¿verdad?

El analista no comentaba nada, apenas nada. Alargó una mano y subió la frecuencia del ventilador, que zumbaba oscilante en la pequeña sala.

—Ahora sí, doctor, le traje la tarea —Gabriela abrazó el bolso como si atesorara las joyas del reino—. Pero antes quiero hacerle una pregunta.

—Cuál pregunta —se acomodó los anteojos en el tabique nasal.

—¿Usted tiene fe?

El doctor Campero alzó las cejas y le ofreció una mirada de impaciencia. Lanzó un vistazo al reloj del muro. Les quedaban nueve minutos, y terminó por aceptar:

—¿Fe? Sí. Supongo que sí. ¿Pero fe en qué?

La mujer de Santoscoy sacó la instantánea Polaroid.

—Esta es la verdadera razón por la que estoy aquí —pero como el analista no repuso nada, ella insistió:

—Por eso decidimos mis visitas con usted —dijo al entregársela.

—¿Decidimos?

—Mi marido y yo. Además que, así como lo ve en la foto, ahora me llama con más insistencia. "Ven, que te estoy esperando…" Casi todos los días, cuando estoy sola y enciendo el horno del pan…

—La llama… ¿quién?

—¿No lo ve en la foto? Igualito, con su túnica roja, reclama mis desaires. ¿Puedo ir por un vaso de agua?

A la vuelta de la salita, junto al baño, había un garrafón.

—Está bien, vaya —dijo el analista sin quitar la mirada de la instantánea—. Yo aquí espero.

Necesitaba refrescarse. Ahora que por fin lo había soltado, experimentaba, además de aquella tremenda sed, una suerte de liberación. Dejó el diván y descalza como estaba, fue al servicio. Aprovechó el lavabo para enjuagarse la cara. Se miró el rostro en el pequeño espejo y enseguida, al secarse, dijo a media voz: "Mi vida sin Él es un desperdicio,…" Luego suspiró a profundidad. Recordó su baño el domingo pasado, o el sueño del baño inacabable cuando por fin, al lograr el cierre de las llaves, detrás de la cortina una silueta se acercaba ofreciéndole la toalla doblada. Alguien ataviado con una túnica escarlata. Miró su reloj pulsera y el agua corriendo por el lavabo. Dejó la toalla en la percha y miró ese remolino arrastrando su propio rumor. Todavía le quedaban unos minutos de sesión. Se miró en el espejo y acomodó un flequillo que había resbalado.

Al retornar a la salita descubrió al doctor Campero apoltronado en una extraña postura. Supo, sin mayor averiguación, que estaba muerto.

El psiquiatra yacía retorcido en su butaca, la cabeza vencida al frente y la instantánea Polaroid que había resbalado sobre su pantalón. La mujer de Santoscoy dudó si dejarle o no el cheque de la consulta. Intentó desabotonarle la camisa, como había visto en alguna película, pero se conformó con comprobar que el analista, definitivamente, no respiraba. Recogió su foto y la guardó en el bolso. Buscó los zapatos a un lado del diván y se calzó en silencio.

Al salir del consultorio tuvo una revelación; en ese preciso momento ingresaba una llamada en la contestadora telefónica, una voz femenina que dictaba: "Doctor Campero, ya me siento mejor... mucho mejor. Regresé con él, como usted sugirió, porque sólo con él puedo vivir en paz, así que la cita que teníamos..." No escuchó el resto del mensaje. Era *su* revelación. Debía responder a la voz; obedecerla a cualquier precio; entregarse en comunión.

Antes de visitar a su hermana Clara pidió al taxista que la llevara a la estética de siempre. Ahí, en su turno, ordenó a la peluquera:

—Córtelo todo.

—¿Cómo todo, señora Santoscoy? Así larguito le queda muy bien.

—Yo no lo maté —la interrumpió, para insistir—: Córtelo, córtelo... así como en esa revista

Dos horas después llegó al convento.

A los diecisiete años su hermana Clara había ingresado en la orden de las carmelitas descalzas. Ya desde los once presumía, luego de recibir diariamente la eucaristía, que su vida sería entregada en comunión divina. A los catorce cumplió la misa de incorporación al noviciado pero muy pronto pidió ser transferida a la parroquia de Caramacáchic, en la sierra Tarahumara, donde hizo juramento de silencio durante dos años. Más tarde, de regreso en la ciudad, tomó los hábitos de la orden de los sucesores de Elías que hacían oración en la iglesia de Santa María del Monte Carmelo.

—Una vida en soledad, hermana. No otra cosa te esperaría aquí: una existencia dedicada a la oración. Nada que ver con tus manías.

Escuchándola como entre las brumas, Gabriela insistió:

—Es que tú no sabes, está suplicandome que me reúna con Él. Ya va para un año que me lo pide personalmente —y volvió a sacar la Polaroid de su bolso—. Míralo.

Clara observó la instantánea en silencio. Minutos después se reuniría con sus compañeras para el rezo. Un rosario entero en la capilla, de modo que esa "visita en dispensa" debía concluir ya.

—Fue cuando viajaste a lo de la ballena, ¿verdad?

—Sí, la playa Adelaida… ¿pero, no lo ves?

—No veo qué, hermana. No veo qué.

"Es cosa de Él", se dijo Gabriela al recuperar la foto. "De Él y tuya… pésele a quien le pese."

—¿No ves mi necesidad de reencontrarme con Jesucristo?

—Todos tenemos esa necesidad, hermana querida —la carmelita prolongó ese suspiro de paciencia—. Todos somos parte de su rebaño.

—Debo entrar al convento contigo, Clara. Confiarme a Él en oración —lo pensó antes de soltarlo—: Entregarme a Él en vida.

Su hermana esbozó una sonrisa, "ah, es eso". Volvió a llenarle el vaso con la jarra de limonada.

—Ya vives con Él, Gabriela —se llevó la manos al rostro en gesto reflexivo—. Tu vida en matrimonio es también una vida con Jesús; digo, si llevas una vida en oración, una vida cristiana procurando a tu marido… ¿No andarás de loca por ahí, verdad?

Gabriela se sorprendió por sus palabras:

—No, ¿cómo crees?

—Es que andas muy misteriosa últimamente, Gabriela. Además que si en verdad estuvieras resuelta de ingresar aquí —le señaló la sortija que llevaba en el anular de la mano izquierda— …hay un pequeño problema.

—Pero… ¡pero tú no sabes de qué modo me llama! —alzó la voz a punto del reclamo.

—¡Tú no has escuchado nunca sus palabras!

Clara entornó los ojos, descansó el mentón sobre las manos enlazadas. "¿Estaba su hermana tomándole el pelo?"

—Parece que tuvieras prisa por convertirte en santa, y eso no es posible, *cara fratella*. ¿Qué tan reales son tus... apariciones?

—Mira la foto.

Clara volvió a levantarla, le dedicó un vistazo. Una postal turística como tantísimas que guardan las familias al retornar de la playa.

—El único modo sería enviudando —concentró la mirada en sus ojos claros—. Entonces sí, querida hermana, te consigo una entrevista con la madre Brigidita.

—Nunca debí casarme.

—Lo que también podrías intentar es el ingreso a la orden tercera, la de los seglares. Hay un convento de las Carmelitas Terciarias...

Gabriela de Santoscoy comenzó a negar con breves giros del cuello.

Clara suspiró. Volvió a mirar el reloj del locutorio, el reloj y el crucifijo de ébano.

—¿Por qué no mejor te encomiendas a Santa Teresa, nuestra patrona? —durante las dispensas podían desentenderse del voto de silencio—. Digo, rézale, que ella ilumine tu desconsuelo.

—Santa Teresa...

—"¡Ay, qué larga esta vida...!" —comenzó a recitar mirándola de soslayo—, "qué duros estos destierros. Esta cárcel y estos hierros, en que el alma está metida! Sólo esperar la salida, me causa dolor tan fiero, que muero porque no muero…"

Desde los años de la preparatoria que no reparaba en la poesía de la santa de Ávila. Su hermana le indicó que debían dar por terminada la visita. Salió de la sala de visitaciones y tardó un par de minutos en retornar. Le entregó un folleto titulado "Darse del todo al Todo: Vida y llamamiento de Santa Teresa de Ávila".

—Ahí viene su biografía de virtud —le dijo al despedirse— léelo y encuentra la paz en sus palabras.

Acto seguido hizo algo que jamás había intentado: la despidió brindándole una bendición completa.

—Salúdame a Gregorio.

Gabriela permaneció en la silla mientras su hermana salía del recinto. Notó que cojeaba. Palpó en silencio la instantánea Polaroid y se sintió invadida por una extraña sensación. Contuvo el llanto, que era de zozobra, envidia y frustración. Odió a Clara y a todas las monjas que habitaban con ella en ese claustro. Se imaginó incendiando esa casona de muros sin revestimiento.

Una tarde en el supermercado, semanas después, Gabriela se topó con el chico *Greenpeace*. El muchacho revisaba la tabla nutricional de un paquete de avena cuando la mujer de Santoscoy creyó reconocerlo. ¿Cuánto tiempo había transcurrido desde aquella fresca madrugada en la playa? Pensó retroceder con disimulo. Escabullirse de ahí con todo y carrito de compras. ¿Un año? Y luego su obsesión por las ballenas, que se disipó en cosa de días…

El muchacho alzó la vista y la descubrió allí sin más. Le prodigó una sonrisa en la distancia; una sonrisa amable y como escrutando en la memoria.

—¿*Globicephala macrorhynchus*? —indagó al soltar el paquete dentro del carrito.

Gabriela le devolvió la sonrisa. Desvió la mirada y supuso que eso era todo. Un encuentro efímero de supermercado. Giró en redondo y se dirigió al sector de las mermeladas. En el dispensario parroquial, que ahora frecuentaba tres veces por semana, festejaban hasta el paroxismo sus galletas de piña. Había adquirido un pequeño horno industrial que debió instalar, porque no hubo otro sitio, en el patio de lavado.

—Vivo como un traidor en secreto —era *Greenpeace*, de nueva cuenta, en ese otro pasillo atestado de mercancías.

A Gabriela le encantó ese lance juguetón.

—Abandoné todo —insistió el muchacho ladeando la cabeza con gesto resignado—. Digo, desde la muerte de nuestra ballena.

"Nuestra ballena", se repitió Gabriela, y ni modo de referirle la conversión que había sufrido su vida a partir del azaroso encuentro en playa Adelaida. Que dormían en habitaciones separadas, su marido y ella, y luego la extraña muerte del doctor Campero. Eso además de todas las nuevas apariciones, como diluyéndose, en los momentos más inesperados.

—Soy Neftalí, Neftalí Pereda, ¿te acuerdas de mí, verdad?

—Todavía conservo la foto —terminó por corresponderle—. Yo también me resfrié, luego de aquella empapada.

Y en lo que ella rebuscaba dentro del bolso, el muchacho creyó oportuno referir:

—Abandoné la carrera después del varamiento —se había dejado la barba y con ello semejaba un capitán prusiano—. Cursaba el último año de biología marina y ahora me dedico a comerciar autos usados.

La mujer de Santoscoy halló por fin la instantánea fotográfica; se la mostró como si se tratase de un documento de identidad.

—Qué derroche de entusiasmo, cuando todo aquello —le devolvió la foto y una mirada retraída—. Mi vida ahora es una renuncia.

Gabriela sintió que esas palabras, de algún modo, le pertenecían.

—¿Sigues casada? —la pregunta turbó al muchacho—. Es decir, como te ves tan cambiada con el cabello corto…

Gabriela frunció el ceño con ambigüedad.

—Sigo en el dispensario de San Esteban, en la del Valle. No sé si conozcas.

—No.

Luego un gesto mutuo, de simpatía y despedida.

—*Ciao* —aventuró el joven oceanógrafo, y Gabriela le correspondió alzando la mano en silencio.

No se conocían, definitivamente, y resultaba obvio que sus vidas seguirían derrotando por los rumbos de sus muy particulares soledades.

Esa noche Gregorio llegó eufórico.

Era quincena y había cobrado un bono extra por la aprobación del proyecto para reconstruir el domo de la estación ferroviaria. Todos en el despacho habían acudido a celebrar en el bar Elmer, de modo que retornó achispado y querendón. Le había comprado dos ramos de rosas y una caja de bombones. Gabriela apenas si lo saludó, arguyendo que estaba cansada y que deseaba seguir leyendo ese libro tan interesante, *La vida de Santa Teresa de Ávila*, "darse del todo al todo". Además de que era cierto.

La mujer de Santoscoy se retiró al estudio, que ahora fungía como su habitación, y buscó la pijama bajo la almohada. En eso ingresó su marido al aposento, cantarino y con sus *boxers* rayados: "Por el amor de una mujer, jugué con fuego sin saber…"

—Estoy leyendo, Gregorio. ¿No te das cuenta?

—"…que no era yo a quien amaba…" Y yo estoy muy bailador —se disculpó—. Además de que mañana es nuestro aniversario de bodas.

En la sala, Julio Iglesias ya los acompañaba con la orquesta de Tino Mascareño.

—No es cierto —se defendió ella, pero fue inútil porque el ingeniero ya la abrazaba, la alzaba en vilo, bailoteaba remolcándola y permitiéndole apenas abotonarse la blusa. Giraban en redondo: como si un vals impetuoso, él tarareando: "He dado todo cuanto fui, lo más hermoso de mi vida...", y las manos buscándola como si la primera vez. Así hasta que tropezaron contra el amplio sofá de la sala. Gregorio comenzó a desparramarse en besos y mimos, ahí tumbados, y muy pronto las caricias fueron ya otra cosa.

Gabriela protestó... imaginó que protestaba pero sus palabras fueron acalladas por aquel gemido y aquel cuerpo clavándose entre sus muslos. Un animal indomeñable y ella que, a punto del llanto, volteó hacia el televisor donde una tenue luminiscencia irradiaba la estancia. Lo reconoció. Sí, allí dentro Jesucristo le extendía las manos. Un gesto como implorando, como resignado, como compadeciéndola. Un Jesús en silencio que, por cierto, tenía la cara de Neftalí Pereda, el oceanógrafo.

"Te estoy esperando."

Después de aquello Gabriela se mudó nuevamente a la alcoba. Más que por convencimiento, por el temor de hallarse de nuevo con Él dentro del monitor Sony. ¿Qué le diría si, estaba visto, nunca podría arribar a esa eterna conciliación?

Semanas después tuvo, sin solicitarla, una cita con la madre Brigidita. Le llevó un paquete de galletas de piña, su especialidad. El encuentro fue a instancias de su hermana Clara. "Quiere platicar contigo, por lo de tus… visiones. Es un dechado de virtud y cuentan que, en sus años juveniles, ella también experimentó una aparición".

—Muchas gracias, pero no puedo aceptarlas —en la sala de visitaciones la madre Brigidita miraba el envoltorio de celofán con una cierta nostalgia—. Hice voto de perpetua abstinencia, aunque se ve que están deliciosas.

—Es que no supe cómo agradecer este tiempo que me dispensa. Hablar con usted es tan importante para mí.

La monja pasó por alto sus palabras. Apretó el rosario que llevaba enrollado en la mano izquierda:

—Si en verdad quieres colaborar con el claustro —llevó los ojos hacia la alcancía que descansaba a un lado de la capilla—, hay modo de hacerlo.

Brígida Juanes había ingresado a la orden de las carmelitas descalzas en 1955 y era, por lo mismo, la priora del convento. Padecía astigmatismo de cuatro dioptrías y sus anteojos negros eclipsaban, un poco, sus dientes prietos que asomaban en cada gesto. Platicaron primero de la Santa de Ávila, su entrega a la vida de contemplación, los 16 conventos que fundó en España, su ánimo de perfección y las revelaciones divinas que tuvo "y que muchos confundían con ilusiones diabólicas".

Al oír estas palabras, Gabriela no pudo refrenar un tic en los labios. ¿Cómo contarle lo suyo? Se burlaría al escuchar lo de las apariciones, tantas que ya había perdido la cuenta... en el horno de eléctrico, en la alacena, en el botiquín del baño. "Ilusiones diabólicas".

—¿Y cómo saber, si fuera el caso, que una visión es o no gobernada por el demonio?

La madre Juanes alzó las cejas reflexivamente. Tardó en responder:

—Cómo saberlo —repitió—. Si tuviéramos con nosotras a Santa Teresa, ella fácil que lo ilustraba. Pero como murió en 1582 ya no hay quién nos explique los éxtasis místicos... que a ratos por aquí quieren abundar. Eso sí, cuando son genuinos y no manejados por el diablo, hay que responder a ellos.

"Éxtasis místico".

—A mí me ocurrió una vez —la madre Brigidita comenzaba a disfrutar la conversación—. Una sola, aunque yo sí respondí al llamado. Tendría, no me acuerdo, diez, no, once años, cuando vivíamos con mis tías de Montemorelos. Una tarde regresaba de la escuela y entonces, a mitad del camino, se me apareció la luz. Una luz intensa, como centella deslumbrante, que a un lado de la noria me llamaba. "Renuncia", me decía, "renuncia, renuncia y acompáñame".

La mujer de Santoscoy abrió enormes los ojos. Un sobresalto le venció el codo que descansaba sobre la mesa.

—Mis tías Valeriana y Emeteria, con las que vivíamos —continuó la madre priora—, no me creyeron nada. Ya de noche fue que me acompañaron, con el quinqué del establo, a revisar la noria de don Manuel. Y nada, solamente el mugido perdido de las vacas y el aroma de los naranjales. "Debe ser cosa del diablo", me dijeron, y a partir de entonces regresé a casa acompañada siempre por una de las dos. Todos los días.

—¿Eso le dijo Jesucristo, "acompáñame"?

La madre Brígida Juanes se acomodó la toca, dejando asomar un mechón de canas.

—No, Nuestro Señor Jesucristo, no. Era el Espíritu Santo.

—¿El Espíritu Santo?

—Sí, todavía me ampara su luz refulgente, su voz encantadora, su misericordia apuñalándome el corazón. "Renuncia y acompáñame". Todas las noches ante el reclinatorio le rezo en mi cuarto, le suplico que vuelva a manifestarse. Pero mírame, tengo 49 años y yo creo que nunca más volveré a tenerlo conmigo. No en vida.

La visitante parecía paralizada. "Debe ser cosa del diablo". No sabía por dónde continuar.

—Tu hermana Clara algo me dijo.

—¿Le dijo?

—Lo de tus… supuestas visiones.

—Ah, sí. ¿Qué le contó?

—Algo. Muy poco. Tenemos voto de silencio y solamente nos permitimos media hora de conversación antes del rezo de Vísperas. Así, la semana pasada, me dijo eso de que se te apareció... que crees que se te apareció Nuestro Señor Jesucristo.

—La verdad, madre Brigidita, es que mi vida es un desperdicio; digo, sin Él —creyó necesario precisarlo—. Sin Jesús.

La abadesa limpiaba sus gruesos anteojos con un ribete del velo. Permaneció pensativa sin comentar nada.

—Y lo de las apariciones ha sido una cosa personal, íntima, que nadie ha compartido conmigo.

—Así pasa.

—Incluso Gregorio, mi marido, se burla de eso. "Mi santa alucinada", dice, y por eso me mandó con el psiquiatra —Gabriela dudó si revelarle ese funesto capítulo—. Hasta mi vecina, Mara Sofía, hace guasa de mi condición.

—Ajá.

—La verdad, yo quisiera que ya terminaran. No escuchar más esa voz llamándome de improviso.

—¿Una voz?

Gabriela comprendió que esa sería su última oportunidad. Dio un suspiro para continuar:

—Temo que, si no lo obedezco, terminaré enloqueciendo. Y eso sería terrible, ¿no? Quedar loca por culpa de Jesucristo...

—Nuestro Señor —precisó la reverenda.

—Es decir, por no atender su llamado. Por eso regresé a la recámara con mi marido, porque cuando dormía sola casi todas las noches, en mitad de la madrugada, ahí estaba su fulgor y su reclamo. Que me está esperando, que me vaya con Él, ¡pero cómo, madre Brigidita, si soy casada! Cómo voy a venir a reunirme con Él, cómo voy a darme del todo a Él si mi condición…

—Solamente enviudando; eso es cierto.

Se dio un respiro. Buscó un *kleenex* dentro del bolso. Intentó sosegarse.

—El padre Emeterio, que es mi confesor, dice que puedo seguir así toda la vida. Conversando con Jesús como si nada; como si fuéramos grandes amigos desde la infancia. "Si me quisiera ver metida de monja", dice él, "ya me habría proveído de las circunstancias".

—Eso sí.

Gabriela de Santoscoy suspiró en silencio. Alargó una mano hasta alcanzar el paquete de galletas. Apretó la cinta del moño que ceñía la bolsa de celofán.

—¿No le pasa a usted? —volvió a indagar—. Eso de pensar que alguien ocupa el lugar de una.

—¿Y cuál es ése lugar tuyo que te están escatimando?

—El de Clara, mi hermana —había que precisarlo—. A veces me imagino siendo ella, y a ella siendo yo, porque de niñas Clara fue la que me presentó a Gregorio. A ella la cortejaba primero, aunque entonces teníamos trece años… por eso, para compensar ese vacío, le pido que me preste su hábito. Para lavarlo en casa, aunque yo aprovecho para olerlo, imaginar que fuera mío… Me lo pongo a escondidas.

—¿Clara te presta su hábito?

—A veces.

A partir de ese punto la mujer de Santoscoy pareció enmudecer. Habría mirado la carátula de su reloj —Piaget, regalo de su marido en el tercer aniversario de bodas—, pero el gesto hubiera sido excesivo. A fin de cuentas la charla no había resuelto su desasosiego. "Solamente enviudando". Se mordió los labios, pensativa, y recogió el paquete de galletas.

La madre priora tornó un tanto severa:

—Rézale al Espíritu Santo, porque Él vigila todo desde más alto. Obedece sus designios recordando que no todos nacen para la santidad, y que la Divina Providencia no les abre a todos las mismas puertas. Puedes muy bien vivir con Él sin *estar* con Él… Y resígnate, Gabriela; ofrécele al Señor ese sacrificio como acto de contrición —la abadesa se acomodaba los gruesos anteojos de pasta. Aprovechó el trance para comentar— …y esas galletas, si no las vas a querer, puedes dejárselas a doña Gelasia, la señora de la entrada, que es seglar.

Se despidieron luego de que una remota campanilla anunciara el siguiente rosario.

La idea no resultó del todo mala. Rezándole en secreto al Espíritu Santo intentó llevar la vida de antes. Rezaba durante la compra en el supermercado, durante los ratos de ocio en el dispensario, a la hora de los noticiarios en la función de cine. La vida de antes: cambiar el papel tapiz de la cocina, acudir temprano al gimnasio hasta empapar la sudadera, hallar ese inesperado disco, *My way*, de Frank Sinatra, bajo el sofá de la sala. En suma, decidió obedecer el consejo de la abadesa Juanes en una palabra que lo resumía todo: resignación.

Una mañana Gabriela de Santoscoy preparaba seis panqueques en el horno eléctrico cuando se percató, ahí mismo, del milagro. La voz había desaparecido. La voz y la luminiscencia. Jesucristo la abandonaba, tal vez, para su tranquilidad. ¿A qué razón debía, en todo caso, la ausencia repentina de las apariciones? Extendió la manteca en la plancha laminada y trató de reconstruir esa inesperada tregua.

No había visitado a su hermana en siete semanas y estaba considerando, con cierta seriedad, establecer un negocio de galletas. Contrataría tres cocineras, rentaría un pequeño local, adquiriría una batidora profesional. Lo llamaría, en todo caso, "Galletas de Santa Teresa". Seguro que uno de los dibujantes de la oficina de Gregorio se prestaría para hacer el diseño. Así, entre galletas y rutinas gimnásticas, llegó y se fue la temporada de lluvias.

Una tarde de noviembre al llegar al dispensario, la recepcionista le dedicó una extraña sonrisa. No tardó mucho en percatarse de lo que motivaba aquel guiño: ahí, en la banca junto a su pequeño escritorio, un apuesto muchacho hacía antesala para el turno de consulta.

—Te estoy esperando —la saludó Neftalí Pereda al reconocerla.

Gabriela de Santoscoy se sintió atravesada por una saeta.

—Hola —dijo con la voz perdiendo fondo. Sí, una saeta envenenada.

Comenzaron a citarse a escondidas. En cafetines pringosos a la hora del crepúsculo, en parques sombríos al otro lado de la ciudad, en el destartalado coche de él y con las gafas de sol puestas. "Te estoy esperando", ¿su vida se debía a esa frase?

Una tarde, por fin, aceptó visitarlo en su departamento. Sería la ocasión de besarse sin remilgos, abrazarse, contemplarse mientras se acariciaban las cabelleras. Neftalí adujo que por nada en el mundo podría ella perderse la tortilla española que él preparaba. Fue la oportunidad de conocer su entorno, su intimidad, los cazos manchados de la cocina y, en un descuido, olisquear su bata rojo quemado. Revisar la colección de conchas marinas que guardaba en cajitas de cristal, la fotografía de graduación donde una veintena de oceanólogos, mechudos y entusiastas, posaban como si el mar fuese un ejército a vencer, o ese grabado enorme en el que desfilaban obreros, campesinos y soldados mirando con reciedumbre hacia los horizontes de la Historia. Sí, que la pócima del flechazo invadiera todas sus venas.

—Siempre supe que llegarías a mi vida —le dijo la tarde lluviosa en que aceptó, venciendo toda reserva, meterse a su cama.

Y así, rodeada por las ballenas que adornaban las paredes del dormitorio, carteles donde nadaban la *Orcinus orca*, la *Balaenoptera borealis*, la *Eubalaena glacialis*, Gabriela supo de insondables profundidades donde las estrellas brillaban a la mano.

Después de eso quedó dormida entre los brazos de ese pálido muchacho. Al despertar, horas después, le confió:

—Soñé que los peces bebían mis lágrimas.

Fueron tres semanas de encuentros apasionados. Neftalí que telefoneaba al dispensario, identificándose como agente de un laboratorio médico, y así quedaban de verse al siguiente mediodía para salpicar las sábanas de vino y migajas. La ballena tropical había sucumbido un año atrás en playa Adelaida y ahora ellos eran los que permanecían varados, extenuados y desnudos, en lo que se anunciaba el crepúsculo.

Gabriela se lo guardó todo. No quiso confesar en sacramento esa pasión abrasadora, así que dejó de comulgar los domingos. De ese modo, quejándose de frecuentes jaquecas, llegó la noche en que Gregorio anunció un viaje imprevisto a fin de cumplir los trámites de una licitación.

Era su oportunidad. Gabriela decidió darle una sorpresa al oceanólogo Pereda. Le compró una camisa color agua-mar y un libro con la poesía amorosa de Pablo Neruda. Llegó al departamento poco antes de las cinco de la tarde y con el corazón desbocado tocó a la puerta de lámina. Esa tarde, estaba segura, lo decidirían todo. "Mi vida está en tus manos". ¿Le diría eso?

Una muchacha morena, cubierta con una camiseta estampada, fue quien abrió la puerta. Gabriela de Santoscoy miró los tres delfines relucientes que le sonreían en la prenda y no supo qué articular.

—¿Tú eres la que se anda poniendo mi bata negra? —indagó la jovencita. Estaba desmelenada y sería por lo menos diez años menor que ella.

—¿Está Neftalí? —fue lo único que se le ocurrió preguntar.

—Claro que está —presumió la muchacha irguiendo sus pechos—. Lo dejé en la regadera.

—Yo venía… —Gabriela no terminaba de ordenar sus pensamientos.

—¿Quieres pasar? —se compadeció la joven—. Todavía queda un pincho de tortilla de patatas.

La mujer de Santoscoy dudó. ¿Qué estaba ocurriendo? Que alguien le explicara todo y entonces se iría feliz a casa. Por fin se animó a entrar. Depositó los regalos sobre la consola de la estancia y preguntó con voz disimulada:

—¿Y tú, discúlpame, quién eres? —porque creía reconocer, no sabía de dónde, ese rostro de pícara altivez.

—Zoraida. Con "zeta".

En eso las distrajo un ruido interior. El rechinido de una bisagra y dos pantuflas arrastrándose. Era Neftalí, cubierto con su bata color púrpura, que avanzaba secándose la cabellera.

—Gabriela… —pronunció al guardarse la toalla entre las manos.

—¡Ah!, ¿tú eres la monja cachonda? —Zoraida se alejó dos pasos.

El muchacho comenzó a hurgarse la barba crecida. No quitaba la mirada del lío de humedad en que había convertido la toalla.

—¿Nefta, por qué no le explicas de una buena vez *la situación*? —insistió la muchacha al revisar el libro de obsequio.

—¿La situación? —la mujer de Santoscoy se llevó las manos al vientre.

—Lo que ocurre…

—Lo que ocurre es esto —la de la playera de delfines dio un salto, abrazó a Neftalí y alzó la cara demandando—: "¿De quién es esta boquita?"

Neftalí la besó con cierto desgano, luego ella se soltó y giró en un lance que recordaba un paso de ballet.

—Ahí los dejo aclarando *la situación* —insistió al retirarse—. Me voy a dar un baño. Estoy muy sudada.

Lo que siguió fue el peor minuto de su vida. ¿Qué decir? ¿Por qué no mejor darse la media vuelta y bajar los dos pisos como quien desciende de una nube cuajada de tormenta? Sintió que las lágrimas comenzaban a humedecer su rostro.

—Te traje una camisa —dijo por fin al señalar el envoltorio—, vaquera de cuadritos.

—Te lo iba a explicar, Gabriela. Créeme que esta misma tarde te lo iba a explicar.

—¿Por teléfono?

El oceanólogo calló de momento. Se colgó la toalla como si fuera una bufanda deportiva.

—Ayer… —se corrigió—, anteayer regresó de Barcelona, donde hizo su maestría —y se vio en la necesidad de precisar—. Zoraida.

¡Claro! La había visto la otra tarde en la fotografía del grupo de graduados.

—¿Se va a quedar a vivir contigo?

El muchacho alzó los hombros con mansedumbre.

—Yo soy tuya, Neftalí. Te pertenezco… —había recogido una servilleta de papel para secarse las lágrimas—. ¿Qué no te das cuenta?

Un suspiro y las cejas arqueándose. Se animó a contestar:

—Para eso, señora, primero tendríamos que considerar el lugar de su marido. Usted le pertenece a Gregorio, ¿no es obvio recordarlo?

Ah, claro. El ingeniero Gregorio Santoscoy. Era verdad.

—Pero —se arriesgó a enumerar—, tú me buscaste, tú me llamaste, tú me…

—Igual que él, supongo. En su momento.

—"Te estoy esperando", eso me dijiste. ¡Eso me has venido diciendo desde…!

Prefirió callar. Volvería a las galletas, de anís, de naranja, de nuez. Con forma de estrella y de trébol. Regresaría al amolado sofá del estudio, sí.

—No sabes cómo me duele esto, Gabriela, porque yo…

Un grito, al fondo del departamento, lo interrumpió. Era la muchacha morena que desde la puerta del baño demandaba:

—¡Que te deje el libro! ¡Neruda es chido!

Para conciliar el sueño, y sin consultar al médico, empezó a tomar ansiolíticos. Aquella noche, afortunadamente, Gregorio había perdido el vuelo. Llamó de larga distancia poco antes de las doce. Que pernoctaría fuera de la ciudad y que retornaría hasta la mañana siguiente. Que todo había salido bien y, felizmente, la licitación ya estaba aprobada. Y luego, más que rutinario, "¿estás bien, amor mío?"

—Sin pecado concebida, padre Emeterio —musitó la mujer de Santoscoy cuando se animó a cumplir con el sacramento de la confesión. Una confesión, por cierto, incompleta. Lo del muchacho *Greenpeace* no existió, decretó ella. No debió existir. No pudo existir.

¿No le había sugerido la madre Brígida Juanes precisamente eso? Resignación, martirio, rezo. Y si su vida estaba destinada al desperdicio, ¿cuál era el problema?

Así, un buen día, comenzó a coleccionar estampas japonesas. Se percató cuando tenía reunida ya una docena de paisajes donde los bambués, el Fuji Yama y los puentes de madera sobre impávidos nenúfares se sucedían como el recuento de un mundo por descubrir. Adquirió un libro ilustrado donde aprendió a admirar el arte del *Ukiyo-e*, "o de las imágenes del mundo flotante". Se aficionó a los dibujantes más renombrados de ese género, mitad acuarela y mitad tinta china, que ofrecían ambientes de sosiego y languidez… Harunobu, Utamaro, Hiroshige y, desde luego, Hokusai, "el loco de la pintura".

En cuanto a lo de los dormitorios separados no dio marcha atrás. Además que Gregorio llegaba cada vez más tarde a casa arguyendo las sobrecargas de trabajo. Así que Gabriela se arrullaba observando las escenas de Toshusai Sharaku al retratar a los actores del teatro Kabuki —"el Toulouse-Lautrec del Japón"— y los trece tomos del codiciado *Hokusai manga* que le costaron novecientos dólares en McAllen. Grabados y rituales de un país que jamás conocería.

Aunado a eso mantenía su compromiso con el dispensario de San Esteban, adonde acudía todas las mañanas. Y las tardes, que ocupaba horneando galletas con forma de lagartija, de escorpión, de cuchillo, le permitían proseguir la vida con cierto vaivén, hasta el día en que el destino le marcó su redención. Más bien la noche.

A pesar de los sedantes, Gabriela despertó a media madrugada. Sufría una extraña sofocación y estaba empapada en sudor. ¿Se trataba de una pesadilla? Era demasiado joven para experimentar los achaques de la menopausia, así que se imaginó enfrentando los síntomas de un infarto. Pero nada. Su pulso había vuelto a la normalidad, aunque el siseo, como de sobrecarga eléctrica, persistía. ¿Habría quedado encendido el tocadiscos en la sala?

Necesitaba un vaso de agua, un par de aspirinas, refrescarse la cara. Ya no recordaba el sueño del que había sido arrancada… una fantasía donde hubo peces, un río, alguien que vociferaba sosteniendo una red. Al incorporarse en la cama advirtió que el murmullo perduraba. Tal vez un cazo olvidado sobre la hornilla de la estufa. No quedaba más remedio, había que trasladarse a la cocina. Se montó la bata y buscó las pantuflas tentaleando bajo el sofá. Aprovecharía para beber un poco de leche. ¿O era el motor de un auto al pie del edificio? Encendió la lamparita de lectura y abandonó su dormitorio. Qué fastidioso estaba resultando el retorno del insomnio. Al llegar a la estancia descubrió el origen de todo. Ahí, en la gaveta de encino, estaba el mandamiento.

Gabriela observó un fulgor que asomaba desde el primer cajón. Avanzó lentamente imaginando un cortocircuito, una fuga de gas, un juguete eléctrico agotando sus baterías. Abrió la gaveta y lo descubrió, una vez más, aguardándola. Sólo que esta vez la revelación era diáfana, explícita, imperativa.

Gregorio Santoscoy roncaba. Tenía el sueño pesado y antes del chasquido percibió, o creyó percibir, la proximidad de un fantasma. La sombra del miedo habita nuestra imaginación en el umbral de la duermevela.

"¡Clic!"

Despertó y el sobresalto cundió por sus venas. Aquel fantasma era su mujer… ¡Gabriela vestida de monja y apuntándole con el revólver! Había fallado al percutir el arma. Quiso decir algo, reclamarle, pero ahí estaba de nueva cuenta la determinación de su mujer:

"¡Clic!"

El ingeniero Santoscoy se irguió parsimoniosamente hasta apoyarse en los codos. Observó al fantasma encapuchado que permanecía detenido en la penumbra.

—Pendeja… —dijo entre resuellos—. Las balas están al fondo del cajón, en el frasquito.

Había sido algo más que una sugerencia. Jesucristo en la gaveta, vestido con una túnica negra y mirando el revólver que allí mismo guardaba su marido. Un mandamiento así no podía ser desobedecido. Cogió el arma y retornó a su habitación, donde sacó el hábito de su hermana Clara, que guardaba al fondo del armario. Se desnudó, porque sólo así podría cumplir con ese rito apremiante, y se encimó la vestidura. Enrolló su cabellera en una trenza y la cubrió con el velo color marrón. Se depositó en la mesita del estudio y comenzó a escribir una carta. Una carta bizarra en la que hablaba de amor místico, de entregarse del todo al todo, de renuncia e inmolación. "Te obedezco porque solamente así, con esta impiedad que Tú me ordenas, se cumplirá mi inmensa necesidad de ti. Muriendo soy tuya. Vivo en la Resurrección de tu sangre". Metió la carta en un sobre y la abandonó sobre el tocador. Se miró al espejo y reconoció a Santa Teresa de Jesús explorando en oración los campos de Extremadura. Dejó aquello y avanzó, descalza también, a lo largo de la estancia. Empuñó el arma resueltamente, como si un samurai de leyenda, en lo que se decía: "Aguárdame, voy a ti".

Solamente así, enviudando, podría entregarse a Él. No le quedaba más alternativa.

—Tiene razón Mara Sofía... —dijo Gregorio al sentarse a media cama—. Estás más loca que una chingada.

Gabriela permanecía estupefacta. ¿A qué hora despertaría de esa enajenación? Volteó hacia la gaveta en mitad de la estancia y le pareció que estaba a millas de distancia. Ella, que nunca más podría dar un solo paso.

Soltó la pistola y el impacto sobre la duela pareció sacudirla.

—Él me lo ordenó —alcanzó a farfullar—; Jesucristo…

—¡Jesucristo! —Gregorio prendió la lamparita del buró.

—…Nuestro Señor —completó ella y quedó como encandilada.

—Ya no puedo más, Gabriela —sentado entre las sábanas, el ingeniero Santoscoy se cruzó de brazos—. A ver quién te convence de meterte en un manicomio.

La mujer enlazó las manos y se las llevó al rostro.

—La obediencia —dijo—. Siempre me he debido a la obediencia.

—¿Ya te viste en el espejo? —el ingeniero Santoscoy trataba de recuperar el aliento—. Enloqueciste con ese maldito libro, ¿verdad? La locura de *Moby Dick* te llenó la cabeza de mierda…

—No —lo corrigió ella—. El loco era Ahab, el capitán.

—¡Pues eso! Y me vas a perdonar pero yo… no puedo vivir un minuto más contigo. ¡Uno solo!

Gregorio saltó de la cama y comenzó a vestirse con violencia. Abrió un cajón y sacó diversos documentos que se guardó en el saco. Gabriela, mientras tanto, lo miraba hacer. "No podrás dar un paso más en la vida".

—Primero las putas ballenas, después el misterioso viajecito a la playa, luego tu anestesia sexual y el psicoanalista …que de seguro mataste. Luego tus galletitas monstruosas y ahora me agredes disfrazada de monja asesina… No, Gabriela. Esto ya es imposible.

Logró dar un paso corto, luego otro. Tomó asiento en el silloncito de la alcoba y se quitó el velo color marrón.

—Gregorio, déjame contártelo todo.

—Todo, qué —el ingeniero Santoscoy ya se calzaba los zapatos. Tironeó demasiado de una agujeta y la trozó. Hizo una mueca iracunda, como si en ese cordel reventado se concentrara toda la perversidad del universo.

—Desde el principio, desde que comencé a escuchar la voz… Su voz.

Una hora después Gregorio Santoscoy salía de casa. Cargaba un pequeño maletín donde había metido una muda de ropa y los utensilios de baño. Luego de cerrar la puerta miró su reloj, iban a dar las dos de la madrugada y no lo dudó mucho. Fue hasta la puerta del departamento 201 y tocó el timbre. Mara Sofía podría atenderlo, ofrecerle un whisky, permitirle dormitar al arrullo de Frank Sinatra. Volvió a tocar con insistencia. Que lo escuchara, que le dejara darse un baño de tina, que le prestara el periódico para subrayar los anuncios de apartamientos amueblados. ¿Qué es lo que iba a contarle? ¿Qué, que ya no supiera? Volvió a llamar dos veces. Golpeó la puerta con el puño cerrado.

Nada. Ahí no había nadie. Nadie que lo escuchara.

Bajó al estacionamiento y abordó su auto. Se imaginó buscando un motel y la noche de insomnio que le esperaba mirando el televisor anónimo. ¿Telefonearía a Gabriela en un momento de debilidad? Sólo que él no había nacido para la derrota.

Circulaba por la calzada del Río cuando llegó, como un relámpago, el recuerdo. ¿Había sido poco antes, o poco después de su boda? No era importante precisarlo ahora, pero de lo que sí se acordaba era de ella. Fue una noche de parranda en los cabarets de la frontera, esa muchachita rubia que lo escuchó toda la noche y le dijo, horas después, que no perdiera más el tiempo y regresara a casa. ¿Cómo se llamaba? ¿Perla, Estrella, Lucero? "Los hombres como tú sólo se pertenecen a sí mismos". Y si ella tendría entonces veintitrés años, porque eso le dijo, ahora tendría veintiséis. Sí, de seguro que todavía estaría asistiendo a los parroquianos de aquel cabaret en Nuevo Laredo. Pero, ¿cuál de ellos? Lo único que recordaba, pues fue una parranda con los ex condiscípulos de la facultad, era la rueda de timón y un pez vela disecado sobre el muro de la orquesta, porque la escenografía del lugar era de pretensiones marineras. ¿"El Pirata Drake"?

Aún transitaba un número considerable de autos y Santoscoy recordó entonces que era noche de viernes. Se desvió en el ramal que entroncaba con la carretera fronteriza, encendió el radio y luego de varios tanteos logró sintonizar una ejecución de órgano clásico acompañado por un coro de entonación sacra. Un réquiem, seguramente; algo que sonaba a Bach, a Haendel… ya se enteraría. Música solemne para un pobre diablo que acaba de salvar la vida. Subió el volumen y reclinó ligeramente el respaldo.

—De modo que el salvador de ballenas se disfrazó de Cristo para fornicar a mi mujer —dijo de pronto.

Volvió a subir el volumen del receptor. Observó un relámpago debatiéndose en la distancia igual que un espectro en agonía. Intentó seguir con esporádicos silbidos el derrotero de aquella interpretación, pero no entonaba. Desaceleró para enfilar en el primer autoservicio que avistó en el camino. Descendió y entró en el *Seven-Eleven*, que era visitado en ese momento por un grupo de adolescentes. Muchachos de fiesta preparándose para continuar la farra. Compró un paquete de cervezas en lata y un par de agujetas. Había trozado una en casa. Observó a los ruidosos chavales que jugueteaban lanzándose una cajetilla de Marlboro. Qué manera más simple de ser felices. A la hora de pagar descubrió, junto a la caja registradora, un conjunto de enseres domésticos en oferta. Un tostador de pan, una plancha, un ventilador. Si estaba por iniciar una vida nueva, necesitaba comenzar desde cero. No le quitaría un solo cenicero a su mujer. Compró la plancha, a mitad de precio, y un dentífrico sabor menta.

Al pagar todo aquello destapó la primer cerveza.

—De aquí a Laredo —indagó mientras el encargado le ofrecía una mueca reprobatoria—, ¿se hace una hora?

—Eso depende —Gregorio experimentó una bendición al deglutir el primer sorbo—, lo normal es hora y media.

Apenas entrar al auto escuchó al locutor que anunciaba con toda formalidad "… y esto ha sido el *Stabat Mater*, de Antonín Dvorák, con la Orquesta Sinfónica de Praga bajo la conducción…" Apagó el aparato.

Al colocar las mercancías en el asiento reparó en el sobre que asomaba debajo de su maletín. Era la carta de Gabriela. Una extraña misiva que no alcanzó a leer completa, y que ella le había entregado luego del asombroso monólogo que soltó al iniciarse la madrugada. La misma carta que ahora tendrían los agentes del forense en sus manos, de no mediar la inexperiencia de su mujer. Dos tiros en la cabeza y esas líneas que remitían a Santa Teresa de Jesús agradeciéndole por siempre "su inspiración y ejemplo".

Al amparo de la marquesina bebió el resto de la cerveza. Sorbos largos que contribuían a recuperar el sosiego. Luego, a la pobre luz del terrado, se miró en el espejo retrovisor. Reconoció el rostro de la confusión. Era un hombre desolado, mohíno, humillado, tal vez …pero vivo. De pronto regresó el espectro de Gabriela empuñando el revólver y la imagen le produjo escalofríos. ¿Merecía él eso?

Intentó leer de nuevo la carta, pero la luz del estacionamiento era poco menos que lúgubre. No prendería la lamparita para examinar, párrafo tras párrafo, la chifladura de su mujer. Encendió el motor nuevamente y colocó la palanca en DRIVE. Arrancó a todo gas ocasionando que las llantas derraparan en el pavimento.

Aquella experiencia no le era desconocida. La vez anterior había conducido siete horas continuas, toda una noche, hasta arribar a playa Adelaida. En esa ocasión había logrado hallar, por fin, a su mujer. Ahora la tenía perdida del todo, además que no llevaba puesto el cinturón de seguridad.

Aceleró, destapó una segunda cerveza, apagó el clima artificial y abrió por completo la ventanilla. "Mi vida a tu lado ha sido un absoluto desperdicio". ¿Por qué le decía eso? Miró la aguja del velocímetro que llegaba a los 150 kilómetros por hora… Un descuido y sería hombre muerto. Una vaca en mitad del camino, un vado, la piedra arrojada ahí por un pastor ocioso. El azar preside la vida y en las alas iridiscentes de una mosca viaja toda nuestra existencia. Al día siguiente, sábado, iban a supervisar los cimientos del multifamiliar, pero él no iba a llegar a la cita. Lo más próximo era el siguiente amanecer. Ese privilegio.

Gruesos goterones comenzaron a golpear el parabrisas. *¡Fap, fap, fap…!* Si el aguacero se desataba la carretera se convertiría en un espejo resbaladizo precipitándose hacia la oscuridad. Miró el velocímetro, estabilizado en el extremo derecho del registro, y no por ello dejó de pisar el acelerador. Una silueta asomó de pronto en la distancia, un resplandor, una señal asomando en medio del cielo. Gregorio sonrió al reconocerla. Era la luna en cuarto menguante y como si expulsada con violencia de aquellos nubarrones. *¡Fap, fap, fap…!*

De pronto le vino un sobresalto. Se llevó la mano al pecho y arrugó el bolsillo de la chamarra, como rebuscando. ¡Se había olvidado de comprar cigarros y en ese paraje de la nada, a 170 kilómetros por hora, todo era un desamparo multiplicado!

Encendió el aparato de radio y lo único que logró sintonizar, en ese primer intento, fue la estática. ¿Qué son nuestras vidas, después de todo, sino estática en mitad de la noche? Estática buscando modular un sonido, un compás melódico, una palabra. Estática pura en el vestíbulo del caos porque ella resume, ni más ni menos, la palabra de Dios. Un arrullo sordo y de pronto el grito en mitad del caos… *"¡This is KHPO, Radio Fourlong, transmiting from San Antonio, Texas: the hearth of the lonely star!…"*

No debió indagar demasiado. El lugar se llamaba Rincón Balleneros y estaba en Agrarismo, la calle prostibularia. Había hecho una hora de trayecto, poco menos, y aún conservaba el temblor nervioso en los muslos. Un taxista desvelado le indicó el rumbo, además que todos los semáforos parpadeaban en amarillo.

Gregorio buscó la mesa más apartada, lejos del grupo musical y de los reflectores de luz. La banda interpretaba una estridente redova que hablaba de distancias y abandono, "¡sí, tú fuistes la que te fuistes!…", y varios parroquianos aprovechaban para contonearse en la pista de baile con mujeres robustas de coloridas minifaldas. Él, por lo menos, estaba cerca de la barra de servicio. Pidió un whisky con soda.

—Doble —le subrayó a la mesera, y en ese momento el conjunto dejó de tocar.

Ahí estaba, aún, la rueda del timón. El pez vela había desaparecido, seguramente comido por el comején, y en su lugar había sido montada una ballena de luz de neón que parpadeaba. Si pernoctaba en Nuevo Laredo, al día siguiente podría cruzar el puente fronterizo y almorzar en Houston. Hospedarse en el Hyatt, que tenía sauna y servicio de masaje, y después…

—Y después —repitió cuando le llevaron el *jaibol* en tarro de cristal.

—Y después viene el último *show*. Yarima de Montecarlo —le informaba la mesera al disponer sobre la mesa las servilletas de papel—, y un muchacho que no canta nada mal, ése que llaman el Claudio Rafael.

El ingeniero Santoscoy sonrió por primera vez en la noche. Uno nunca sabe, la vida te arroja un relámpago en mitad de la siesta y quedas como ciego para el resto de tus días. Era una costumbre que había heredado de su padre: jamás guardes un arma cargada; eso sí, "las balas en un envoltorio adjunto, aunque te tardes dos minutos en llenar el cargador. Los bandidos nunca entran corriendo". Sólo que este bandido había sido su propia mujer, vestida de monja y disparándole al tórax. Por cierto, ¿dónde había quedado el revólver?

Pidió otro whisky, ahora que tenía templado el pulso, y aprovechó para averiguar con la mesera:

—Perdone, ¿ya no trabaja aquí una medio güera que se llamaba… Perla? ¿O, Lucero?

—Ah, ¿la Lucy? —la empleada secaba con un trapo los escurrimientos por condensación.

—Debe ser.

—Ya no viene; es decir, no está de plantel. Pidió un permiso para probar en otro lado. El "Jacaranda Inn", ¿no lo conoce?

El ingeniero Santoscoy negó con un gesto. Dio un sorbo a su J&B.

—Pero sí viene como clienta acompañada, para disfrutar. El viernes llegó más o menos a esta hora. Igual hoy nos da la sorpresa.

Hablar con alguien. Ser escuchado y que los disimulos se disipen al viento. La mesera se lo quedó mirando con curiosidad.

—¿Va de paso?

—Como todos. Buscando alguien con quien fumar… —y aprovechando el punto—. ¿Me podría traer unos Benson?

La mesera, que debía tener medio siglo de edad, volteó hacia el otro lado de la barra donde un grupo de mujeres se aburrían a la espera de clientes.

—Aquí hay de todo, como podrá observar. Ahora se los traigo.

Santoscoy dio un trago largo a su whisky. Se deleitó con ese momento de mansedumbre. ¿El Jacaranda Inn? ¿Sería aún hora de reemprender la exploración?

—No hay prisa de nada —se dijo al servirse un chorrito de agua mineral—. Ahora menos que nunca.

Logró vislumbrar, en el par de mesas junto a la barra, a las mujeres que trataban de seguir la melodía de una rocola. Amanda Miguel que reclamaba "...él me mintió, él me dijo que me amaba y no era verdad; él me mintió". ¿Por qué las baladas están llenas de engaño, celos y rencor? En aquella mesa había una mulata de peinado afro, una trigueña espigada, dos morenas regordetas y una rubia escultural trabajada con silicona. Era la más simpática a la distancia, pues aprovechaba cualquier momento para levantarse y danzonear alrededor del grupo.

Hubo un nuevo relámpago, ahí cerca, que hizo estremecer el cabaret. El alumbrado menguó, como agonizando, pero muy pronto se restableció el servicio. En ese trance comenzó el aguacero, que trepidaba sobre la techumbre de zinc, y todos se miraron con la complicidad de los náufragos. Mientras permanecieran ahí dentro, no se mojarían un pelo. Gregorio aprovechó para pedir un whisky más, pues visto estaba que ese recinto oloroso a sudor y creolina se convertiría en su limbo. Había sobrevivido a un atentado y ahora sobreviviría a ese diluvio encharcando la madrugada.

Le llevaron el vaso y los cigarrillos de una sola vez. Santoscoy agradeció aquello con una generosa propina y volteó a buscar a la rubia de los prominentes atractivos. Ya no estaba. Recordó a Mara Sofía, la vecina del 201, y suspiró largamente. ¿Adónde se habría ido a meter esa noche? Encendió el primer cigarrillo con cierta dificultad. Una corriente de aire se colaba en el local y su pulso había perdido aplomo. A propósito, ¿qué hora será?, y en lo que deslizaba la manga de la camisa, una voz lo distrajo.

—¿Me regalas uno?

Era la trigueña de cabellera castaña, indicando el paquete de los Benson.

—Con este diluvio no amaneceremos —aventuró al agradecer el tabaco—. Ayer me empapé al salir y me dejó la voz como de Pedro Vargas.

Santoscoy rió por el comentario. Le ofreció el fuego de su encendedor. Miró la alegre blusa que llevaba y no pudo reprimir el comentario:

—¿Tomas o das clases de hawaiano?

La trigueña se arregló la cabellera, lo miró con desdén.

—Muy gracioso. Ni tomo ni doy, solamente estoy esperando a que se quite la lluvia para regresar a casa… porque *yo sí tengo* casa.

Santoscoy dio un trago largo a su J&B. Miró el rostro de la trigueña, su belleza mediterránea, angulosa, gitana.

—Te deben gustar los toros —aventuró divertido.

—Cuando me llevan, sí, pero tú solamente te llevas a ti mismo, ¿verdad? Ahí nos vemos.

Se alejaba y el ingeniero la miró contonearse en retirada. Llevaba pantalones ceñidos, de moda.

—¿Y cómo sabes que no tengo casa? —la detuvo en mitad del recorrido, agarrándole el antebrazo.

—¡Deja, brusco!... que me lastimas —se quejó. Dio una larga bocanada al cigarrillo y le arrojó el humo a la cara, desafiándolo—: A leguas se ve que te *peliaste* con tu vieja, que ya no la soportas. Que no volverás nunca a casa. Aunque luego...

—Qué, ¿eres bruja?

La trigueña le devolvió una sonrisa que le hizo resaltar el lunar sobre la boca.

—No, pero hay quienes han sabido agradecer mi embrujamiento.

—¿Ah, sí?

—¿Cómo se llama tu vieja?, digo, si quieres que hablemos de ella.

Retornaron a la mesa. Pidieron brandy, para la trigueña, y otro whisky para Santoscoy.

Dos horas después eran los últimos en resistir dentro del Rincón Balleneros. Conversaban abrazados, mimosos, besándose de cuando en cuando. Santoscoy ya no recordaba si había llorado en su hombro. No recordaba eso, pero sí cuando gritó, manoteando en el aire... "¡se convirtió en la monja loca!, ¡la monja loca!".

Había escampado y una fresca brisa ingresaba al lugar. Les llevaron la cuenta y las lámparas comenzaron a ser apagadas. Gregorio sintió esa mano que le sujetaba la cabellera, lo despeinaba cariñosamente, esos labios que le secreteaban al oído:

—Pobrecito mío que lo echaron a la calle. ¿Dónde le compraremos una cama a esta hora?

El ingeniero Santoscoy sonrió con tierna beodez. Buscó esa boca ahora que se sentía liberado. Encendió otro cigarrillo. Había contado su cuita y esas palabaras como dardos le permitían flotar en lo más profundo de la madrugada. Eso y la media docena de whiskys que inundaban su torrente sanguíneo.

—Parece que tendremos que irnos —dijo al recibir el cambio.

—Yo pido el taxi —dijo la trigueña al abotonarse la blusa floreada.

—No. Yo traigo mi carro. Te llevo adonde mandes...

Y mandó que dieran una vuelta por la zona del río, más allá de los suburbios, donde hallaron un parque de sabinos. Santoscoy conducía con cierta torpeza, distraído también por esa mano hurgando bajo su camisa.

Descendieron del auto y emprendieron un paseo tomados de la mano. Hablaron del clima, las estrellas, los camalotes que arrastraba la corriente del río. Gregorio se iba serenando; una hora más tarde dormiría en la cama de un motel anónimo y una semana después, posiblemente, estrenaría departamento de soltero en la colonia Valle. Dos recámaras y balcón con balaustrada. Comenzó a hipar.

El lugar estaba más que solitario. Había tres mesas de cemento, con asador, para los domingos familiares. A esa hora sólo eran acompañados por los arbotantes de luz y los insectos revoloteando. Se acomodaron al pie de uno de ellos, mirando el río, y Gregorio volvió a buscar aquellos labios.

—Llegaste demasiado tarde a mi vida —le dijo.

La trigueña sonrió, se dejó abrazar, le respondió en murmullos:

—Quién sabe. Con dinero nunca es tarde.

El comentario fue como un balde de agua.

—Claro —pareció recordar el ingeniero Santoscoy—. El dinero que lo compra todo. Copas, tiempo, bizcochos, besos y suspiros…

—Por quinientos pesos te beso donde pierdes —amenazó la trigueña, y como Gregorio no respondió nada operó con cierta rutina.

Luego de abrirle la bragueta comenzó a hurgar. Descendió y dejó que su boca completara la faena.

—Pinches quinientos pesos tan calientes —dijo Gregorio un par de minutos después.

El ingeniero Santoscoy permaneció inmóvil, adormilado, agradecido. Esa boca que le había recordado las leyes de la vida, ahora lo prevenía:

—Será mejor que nos vayamos. Va a amanecer y todavía refrescará más. Si quieres vamos a tu hotel y nos encamamos, para darte lo mío. Pero serán mil, y no quinientos; además que al rato llega por aquí la patrulla.

Hubiera querido no escuchar eso. Se abotonó y recargó la cabeza contra el poste. Ahí enfrente el río, que era frontera de naciones, avanzaba igual que una serpiente engordada por las tormentas. Sintió que una primera lágrima le surcaba el rostro:

—Quiero que leas esto y me digas qué piensas —extrajo del saco la carta de Gabriela—. Es muy importante para mí.

—Oye, pero sí que traerás los quinientos pesos. No vaya a ser como el otro día…

—Toma la carta. Anda, léela con esta luz.

Aceptó aquel sobre y antes de abrirlo, insistió:

—Mejor ya vámonos al hotel. Ahí te completo el servicio…

—La carta. ¡Léela!

Obedeció de mal modo. Comenzó a seguirla en silencio, modulando los labios en cada sílaba, como lo hacía en el segundo párvulo.

—Oye, ¿ya viste? "Santa hermana mía, Teresa en el sufrimiento. Amamos lo mismo y lo mismo nos perderá al perderlo todo. Carne que se pudra, bienestar que nos obsequie la muerte justa. Venga el beso a quemarme los ojos, la garganta, el corazón. ¡Jesucristo, quiero arder contigo sin pisar el mundo…!" —se dio un respiro, para luego comentar—: Oye, esto es una absoluta vacilada. ¿Por qué no la usas cuando vayas a cagar?

Y diciendo eso se irguió, disculpándose:

—Ahora espérame, que ya no aguanto… —avanzó hasta los juncales, donde se abrió la bragueta para disparar una ruidosa micción.

Cuando regresó, Gregorio ya no estaba. Es decir, el ingeniero Santoscoy había retornado al auto donde descansaba con las piernas fuera del vehículo.

—Eres un imbécil —dijo sin mirarlo.

—El quinientón… —murmuró el tipo al morderse una uña esmaltada en rojo—. Y si no te apuras, ya van a ser mil.

—Sigue leyendo —Gregorio Santoscoy le extendió la carta con cierta violencia.

—¡Mira, que yo de satanismo, sácate! ¡Esa carta es pura mierda… y ya vámonos a la chingada! —le ofreció un gesto exigiendo el dinero.

Gregorio se irguió y le soltó un solo golpe, la plancha empuñada en su mano izquierda, que le dio de lleno al cráneo. El tipo se desplomó como si de papel.

—Imbécil —dijo al recuperar las hojas dispersadas—. Mi mujer es una santa.

Avanzó hasta el poste y comenzó a vomitar en dolorosas arcadas. Se limpió con una manga de la camisa y permaneció así, resollando, junto al arbotante de luz. Intentó descifrar los últimos ruidos de la noche: el rumor sombrío del caudal, el croar perdido de una rana, una musiquita perdida en quién sabe qué jacal y arrullando el insomnio de una mujer abandonada. Eso imaginó.

Regresó al lugar y empujó con un pie al tipo, que ya no respiraba. Suspiró aliviado. Eso no era un hombre. Alzó la vista y descubrió, vestido de púrpura, el primer asomo del alba. Recogió la plancha y la ató en el cinto del cadáver. Guardó la carta en el bolsillo de esa blusa con estampados hawaianos y le envolvió la cabeza con la bolsa del *Seven-Eleven*. Arrastró el cuerpo hasta el juncal y lo empujó dentro del río. Se enjuagó las manos, la cara, pero no debió insistir porque en ese momento la lluvia retornaba para aposentarse de la cuenca. Gregorio extendió los brazos y se dejó lavar por esa agua casi bautismal.

Subió al auto y encendió el motor. Apalancó y salió de aquel parque dominguero. Deambuló por la ciudad hasta que las primeras luces de la mañana terminaron por serenarlo. Se dio por vencido. Paró en un café de la avenida principal y pidió un desayuno americano. Era, en apariencia, el primer cliente: jugo de naranja, huevos fritos, café negro.

—Estuvo duro el aguacero —comentó la mesera luego de llevarle el servicio.

Gregorio Santoscoy se miró también las ropas, como de náufrago. Estornudó a punto de responder:

—Antes de Noé todo era distinto.

Miró, a través del ventanal, la lluvia apoderándose del paisaje. Ciclistas envueltos en mangas de hule, niñas corriendo con canastas sobre la cabeza, un perro ovillado bajo el alero de la fonda.

Pagó y cruzó la avenida cubriéndose con un periódico. Llegó a la recepción del Hotel Paraíso y pidió una habitación. Volvió a estornudar. Le dieron el cuarto 107, donde se duchó largamente con agua caliente apenas soportable. Se rasuró y encendió el televisor. Alzó el auricular del teléfono y pidió una llamada de larga distancia. Mientras esperaba la conexión observó la pantalla del televisor, con el volumen en cero, donde se sucedían las imágenes de un típico programa sabatino: un predicador que hablaba sin hablar y de cuando en cuando aparecían diversas estampas bíblicas... Moisés y las tablas de la ley, Abraham decidido a sacrificar al joven Isaac, el patriarca Jonás renaciendo del vientre de la mítica ballena.

Gregorio comprendió entonces que él era sustancia de ese testamento.

Sentada en su pequeño escritorio, la mujer de Santoscoy ofrecía en ese minuto la ficha al primer indigente en presentarse al dispensario. Era un vagabundo mudo que gesticulaba con aflicción al señalarse el costado izquierdo. Pobres del mundo que lo han perdido todo, menos la capacidad de dolerse. Llevaba un sombrerito curioso, con una flor quebrada en la copa. En eso comenzó a timbrar el teléfono. La mujer se lo quedó mirando como se mira una bestia desconocida. Por fin se animó a contestar el aparato.

—"Pacientes en la espera del Señor…" —recitó melodiosamente antes de saludar: —¡Buenos días!, le atiende Gabriela…

Entonces escuchó la voz. Una voz distante y angustiada que creyó reconocer:

—Quiero dormir, quiero dormir, quiero dormir…

Mátalo se terminó de imprimir en noviembre de 2006, en Nuevo Milenio, S.A. Calle Rosa Blanca 12, Col. Ampliación Acahualtepec, C.P. 09600, México, D.F. Composición tipográfica: Sergio Gutiérrez. Cuidado de la edición: Ramón Córdoba. Corrección: Gonzálo Pozo, Ramón García y Lilia Granados.